Luigi Garlando

Per questo mi chiamo Giovanni

con la prefazione di Maria Falcone
e un'intervista all'autore

Si ringrazia Maria Falcone per la collaborazione
e il sostegno dimostrati all'autore e all'editore.
Per saperne di più sull'attività della Fondazione
Giovanni e Francesca Falcone visita il sito
www.fondazionefalcone.it

Pubblicato per

da Mondadori Libri S.p.A.
Proprietà letteraria riservata
© 2004 RCS Libri S.p.A., Milano
© 2016 Rizzoli libri S.p.A. / BUR Rizzoli
© 2018 Mondadori Libri S.p.A., Milano
Ventiquattresima edizione bestBUR novembre 2018

ISBN: 978-88-17-05577-2

Seguici su:

www.rizzolilibri.it   /RizzoliLibri   @BUR_Rizzoli   @rizzolilibri

A otto anni dalla prima pubblicazione e nel ventennale della morte di Giovanni accolgo con gioia la notizia della nuova edizione di questo libro che con immagini vive e toni semplici racconta ai ragazzi la storia di Giovanni e i valori per cui ha lottato. Durante la mia lunga e intensa esperienza nelle scuole ho potuto verificare di persona quanto Luigi Garlando sia riuscito a trasmettere ai giovani con la sua rara capacità di raccontare Giovanni avvicinandolo ai problemi quotidiani dei ragazzi, quali la violenza e i soprusi che talvolta subiscono da parte di chi è più grande o più forte o anche solo più sfacciato. Far capire che Giovanni ha lottato anche per loro è stato uno dei risultati più forti del libro di Luigi. Il protagonista del libro, che si chiama Giovanni come mio fratello, è un ragazzo di forse otto, nove anni, appassionato di calcio, ama il mare di Mondello e colleziona figurine Panini. Purtroppo il giovane protagonista è a conoscenza e in parte vittima di soprusi che avvengono nella sua scuola, come il fatto di dover dare a un prepotente della classe la sua paghetta e dover così rinunciare a comprarsi le figurine per completare il suo album. Sarà grazie alla storia che il padre gli racconta, ovvero la vita e le lotte quotidiane dell'uomo e magistrato Giovanni, che il ragazzo, sebbene si senta piccolo e indifeso, prende coscienza della possibilità di lottare contro le ingiustizie. Il piccolo Giovanni non è un eroe, ma ha imparato a rivendicare il suo diritto alla giustizia anche quando questo costa un gesto di coraggio e si viene minacciati da un compagno più forte. Ha imparato che dal suo gesto di denuncia deriva un bene maggiore perché collettivo e che non c'è una differenza di sostanza tra il suo impegno e quello degli adulti contro la mafia, ma che ogni persona della società può lottare per l'affermazione del diritto, qualsiasi ruolo rivesta.

Un giorno ho ricevuto una lettera di un direttore scolastico di una regione del centro Italia a cui allegava la lunghissima ricerca fatta da un'alunna della sua scuola che ha dedicato molto del suo tempo libero allo studio della criminalità organizzata e alla lotta per la legalità. L'alunna aveva scritto un centinaio di pagine e concludeva dicendo di essere stata ispirata molti anni addietro, quando ne aveva otto, dalla lettura del libro *Per questo mi chiamo Giovanni* e che mai in tutta la sua vita avrebbe abbandonato questa battaglia quotidiana.

Credo che nessun'altra parola possa esprimere al meglio la mia profonda gratitudine per questo prezioso strumento di trasmissione dei valori per cui si è sacrificato Giovanni. Il mio profondo augurio è che esso continui a circolare tra i ragazzi contribuendo a formare menti critiche e coscienze vigili, che saranno la luce delle azioni delle donne e degli uomini di domani.

Maria Falcone, primavera 2012

Bum, dimmi chi sei

Papà entrò in camera mia dopo cena. Seduto alla scrivania, stavo ripassando la lezione di storia. Eravamo arrivati a Garibaldi che libera tutta la mia Sicilia, poi a un certo punto riceve una lettera e risponde: "Obbedisco". Solo quello: "Obbedisco". Era un punto che non mi risultava chiarissimo: perché doveva fermarsi e tornare indietro, visto che continuava a vincere battaglie su battaglie? Probabilmente, quando la maestra l'aveva spiegato in classe, mi ero distratto.

In ogni caso, quell'eroe a cavallo con la barba folta, che batteva tutti, mi entusiasmava. Vestiva la casacca rossa come David Beckham del Manchester United, che è la più brava ala destra del mondo. Era forte come *Braveheart* che avevo visto al cinema e che combatteva con la gonna, perché in Scozia portano la gonna anche gli uomini.

Mio padre si sedette sul mio letto e prese in braccio Bum, lo scimpanzé di peluche. Aveva una faccia strana (papà, non lo scimpanzé), come quando ha qualcosa da dirmi e non sa da dove cominciare. Bum è strano per un altro motivo: ha i piedi bruciati. È stato uno dei primi regali che ho ricevuto in vita mia. "Non può camminare, va tenuto in braccio" mi hanno sempre spiegato. Ma sorride, quindi vuol dire che non sta poi tanto male.

I miei amici mi invidiano: il lavoro di mio padre è aprire negozi di giocattoli. Ne ha tre solo a Palermo, uno in viale della Libertà, dove abitiamo. Posso avere tutti i giochi che voglio, di legno o elettronici, peluche dell'ultima generazione che parlano, si grattano e ripetono le tabelline. Ma Bum, nonostante i suoi piedi neri, resterà per sempre il numero uno. Credo che sia anche il preferito di papà. A volte vedo che entra nella mia stanza, anche se non ci sono io, e lo accarezza. Ho sempre pensato che quei due mi nascondessero un segreto. La storia delle zampe bruciate mi risultava strana come l'"obbedisco" di Garibaldi.

"È una storia lunga. Un giorno te la racconterò."

"Un giorno quando?"

"Quando avrai dieci anni."

Il giorno che papà entrò nella mia stanza, mentre stavo studiando Garibaldi, mancavano tre giorni al mio decimo compleanno.

«Cos'è successo a Simone?» mi chiese all'improvviso.

«Si è rotto un braccio» risposi.

«Questo lo so, l'ho visto con il gesso.»

«È caduto dalle scale.»

«Sono stato a scuola. La maestra dice che non è inciampato, ma che qualcuno gli ha legato le stringhe delle scarpe e poi lo ha spinto giù.»

«Non so, papà.»

«Ma non siete in classe insieme?»

«Sì, ma non ho visto.»

«La maestra dice che eri vicino a lui.»

«Si sbaglia, ero rimasto indietro a scambiare delle figurine.»

«Sicuro che non c'entri Tonio?»

«T'ho detto che non ho visto, papà…»

Quando succedeva qualcosa di brutto in classe, tutti pensavano subito a Tonio, che aveva tre anni più di noi e il padre in carcere. Arrivava a scuola senza libri, con le sigarette nei calzini e un coltellino in tasca. Gli piaceva ripetere: "È la terza volta che rifaccio la quinta: so tutto a memoria. Che li porto a fare i libri?" La maestra non lo rimproverava neanche più. L'ultima volta che lo aveva fatto, prendendolo per un braccio, si era ritrovata con le ruote della Panda bucate e un bigliettino infilato sotto il tergicristallo. Coi fratelli grandi di Tonio io non vorrei mai avere nulla a che fare.

Chiusi il libro di storia, lo infilai nello zaino e ci misi dentro i quaderni per il giorno dopo. Papà andò alla finestra. Faceva caldo. Era solo maggio, ma dal mare arrivava già il buon profumo dell'estate.

Papà tolse da uno scaffale l'album delle figurine Panini. Lo sfogliò con espressione delusa, come fa di solito davanti alle mie pagelle.

«Spendi tutte le mance che ti do in figurine, ti fermi a scuola per scambiarle con i tuoi amici eppure a fine campionato hai ancora l'album mezzo vuoto?»

«Sono sfortunato, papà. Compro sempre bustine piene di doppie...»

«Solo sfortuna?» Aveva un'aria strana.

«Puoi dirlo, papà. Mi gioco le doppie con i miei amici e perdo sempre! In questo campionato sto andando peggio del Palermo...»

Papà rimise l'album al suo posto, tra il vocabolario d'italiano e l'enciclopedia degli animali. Poi si voltò e mi disse: «Domani ti racconto la vera storia di Bum. È venuto il momento.»

«Ma non ho ancora dieci anni.»

«È un regalo anticipato. Domani passeremo tutto il giorno insieme, andremo al mare e ti racconterò tutto.»

«Al mare? Anche al mattino?»

«Tutto il giorno insieme, da mattina a sera: è un racconto lungo.»

«Ma domattina ho l'interrogazione di storia...»

«Ho parlato con la maestra e lei è d'accordo con me: la mia storia è più importante della sua.»

Ripensai a Garibaldi ed esclamai: «Obbedisco!»

Ma io lo dissi entusiasta, perché una giornata al mare al posto di un'interrogazione di storia è un gran bello scambio... E con papà, soprattutto.

Molti miei amici mi invidiavano per via dei giocattoli, ma io a volte invidiavo loro perché avevano un padre quasi sempre a disposizione. Il mio spesso partiva per lavoro e se ne stava via anche delle settimane. Doveva controllare che in tutti i suoi negozi le cose andassero bene oppure doveva andare lontano a scegliere i giocattoli nuovi. "Ho un appuntamento con Babbo Natale" mi spiegava da piccolo, per farmi ridere.

Io restavo a casa con zia Nuccia, che ha sempre abitato da noi e che ha una strana mania: parla alle piante. Se deve spostarne una per passare l'aspirapolvere, prima chiede il permesso: "Ti spiace, Ficus Beniamino? Grazie, faccio in un attimo, poi ti rimetto a posto".

Una giornata insieme, dal mattino alla sera, era il miglior giocattolo che papà potesse regalarmi per il mio compleanno.

«Dormi» mi disse. «Domani dovremo fare un sacco di cose. Buonanotte.» Uscì e spense la luce della mia camera.

Io accesi la torcia che tengo sempre sul comodino e illuminai la faccia allegra di Bum: «Presto saprò chi sei davvero, finalmente.»

Gli uomini non piangono

La mattina dopo, zia Nuccia preparò il solito cappuccino per me e un caffè per papà, che entrò in cucina sbadigliando, già vestito, con lo zaino in spalla. Nel mio avevo infilato il costume, un ricambio di biancheria e il telo spugna.

Prima di uscire di casa, papà raccolse un vaso in corridoio e mi strizzò l'occhio. Come a dire: "Preparati..."

Infatti zia Nuccia accorse subito: «Dove credete di portare quella creatura?»

Papà rispose serio: «Ci serve una... piantina per non perderci nel traffico.»

Zia Nuccia gli strappò il vaso di mano: «Filate fuori!»

Prendemmo il gippone, come lo chiamiamo noi, cioè il nostro fuoristrada con le ruote grosse, e percorremmo tutto viale della Libertà, verso il centro, attraverso il solito traffico infernale di Palermo. Passammo vicino a quella bella confusione di gente che è il mercato della Vucciria e girammo in direzione del porto, dove le strade cominciavano a farsi sempre più strette e le case sempre più brutte. Una di queste viuzze sbucava in una specie di piazza, occupata per gran parte da un prato verde. Parcheggiammo il gippone.

«Un tempo in questa piazza c'erano delle case che poi sono state abbattute» spiegò papà. «Se ci fai caso, infatti, mancano i numeri bassi di via Castrofilippo. Via Castrofilippo iniziava da questo prato, dove c'era il palazzo al numero 1.»

Ci incamminammo verso il centro del prato. «Oggi il quartiere è ridotto un po' male e ha tanti problemi, ma allora era una delle zone più belle di Palermo e ci abitavano persone importanti. I muri di queste case non erano scrostati, i palazzi avevano eleganti portoni di legno, cortili pieni di luce, scalinate bianche, lunghi balconi di ferro e persiane verdi.»

«Allora quando?»

«Più o meno ai tempi del nonno. Qui, al numero 1 di via Castrofilippo, abitava Giovanni. Leggi...»

Eravamo arrivati davanti a una specie di sasso bianco, posto al centro del prato. Sul sasso c'era scritto: "Con gratitudine e riconoscenza. Qui nacque Giovanni Falcone, 18 maggio 1939".

«E chi è Giovanni?»

«Il protagonista della nostra storia.»

«Ma non doveva essere Bum?»

«Per arrivare a Bum bisogna partire da Giovanni. È una grande storia, vedrai. Comincia subito con un colpo di scena.»

«Quale, papà?»

«Una cosa strana, anzi due, che ha raccontato sua sorella Maria. Quando Giovanni nacque, aveva due sorelline: Maria, di tre anni, e Anna, di nove. Maria si ricorda bene la prima volta che vide suo fratello, pochi minuti dopo che era nato, ancora tra le braccia della mamma: non piangeva e teneva i pugni stretti. I neonati di solito piangono sempre, tu per esempio non la smettevi più: una femminuccia...»

Protestai, tirandogli un pugno nella milza. Papà è un ottimo incassatore. Merito dei cannoli che si mangia e che gli hanno gonfiato una specie di salvagente sopra la cintura dei pantaloni.

«Giovanni, invece, neanche una lacrima. E poco dopo la sua nascita successe una cosa ancora più strana: dalla finestra aperta entrò una colomba.»

«Una colomba?»

«Sì, una colomba bianca.»

«Era ferita?»

«No. Ma non se ne andò più via, nonostante la finestra aperta. La famiglia di Giovanni si preoccupò di darle da mangiare e la tenne in casa. Sembra una storia e invece Maria assicura che è tutto vero.»

«La colomba non è il simbolo della pace?»

«Bravo.»

«Giovanni è venuto al mondo coi pugni chiusi come un pugile e gli è entrato dalla finestra il simbolo della pace. Questa è la cosa strana, papà.»

«Non è strano. La pace non arriva mai in volo per conto suo, bisogna sempre conquistarla e difenderla, a volte anche con la forza. Vieni, dobbiamo spostarci.»

«Dove?»

«Piazza Sett'Angeli.»

«E dov'è?»

«Vicino alla Cattedrale.»

Prima passammo da piazza della Kalsa, che sta a un passo dalla Magione. Kalsa è un nome strano perché lì un tempo c'erano gli arabi. Papà indicò la chiesa di Santa Teresa: «Giovanni a volte veniva a giocare qui. C'era un parroco molto in gamba, padre Giacinto, un carmelitano scalzo, di cui era diventato amico.» Poi imbucammo una stradina così stretta che il gippone ci passava appena. La riconobbi subito: via Butera, dove c'è il Museo delle Marionette. Ci ero venuto con la scuola.

Chiesi a papà di parlarmi dei genitori di Giovanni. Volevo cominciare a conoscere quel bambino sconosciuto che doveva accompagnarmi verso il mistero di Bum. Se devi fare un tratto di strada con qualcuno è giusto sapere chi è. O sbaglio?

«Il padre di Giovanni si chiamava Arturo, era un dottore. La madre, Luisa, stava in casa a badare ai figli. Voleva molto bene a Giovanni, come tutte le mamme, ma era una donna molto severa, con un'idea fissa: bisogna sacrificarsi per il bene, nella vita bisogna fare il proprio dovere senza paura. Sai quando dici che ti faccio venire la barba con le prediche?»

«Lo so, lo so...»

«Ecco, quello moltiplicato per mille. La mamma faceva a Giovanni un sacco di prediche sul dovere e sui sacrifici, perché era molto religiosa e perché in famiglia aveva avuto veri e proprio eroi, a cominciare da suo fratello Salvatore, che era stato bersagliere.»

«Quelli che corrono con le piume sul cappello?»

«Quelli. Salvatore aveva partecipato alla prima guerra mondiale come volontario ed era morto sul Carso a diciotto anni, colpito da una granata: un ragazzino. Aveva perfino falsificato i documenti per poter andare al fronte. La mamma raccontava spesso a Giovanni la storia dello zio eroe, che era bravissimo anche a scuola, tra l'altro. Sai come si chiamava Giovanni di secondo nome?»

«Salvatore.»

«Esatto. Il nome Giovanni invece gli veniva da un altro zio, capitano d'aviazione, che era stato abbattuto nel corso di un duello in cielo. Anche lui era molto giovane, aveva solo ventiquattro anni quando il suo aeroplano venne colpito. Invece il papà di Giovanni era stato ferito durante la prima guerra mondiale: gli erano rimaste delle schegge in testa e da allora aveva problemi a camminare. A Giovanni piacevano i racconti di quei parenti eroici e, nel suo piccolo, cercava di esserne degno, come se tutti da lassù, seduti su una nuvola, lo stessero guardando per giudicarlo. Così una volta, a Sferracavallo, mentre giocava in giardino, cadde su una pietra e si ferì il ginocchio, tanto che fu necessario portarlo dal medico: nessuno si era accorto di niente, perché Giovanni non aveva urlato e non si era messo a piangere. Anche il dottore restò meravigliato del suo controllo. Sapeva che quella ferita, durante le cure, doveva dargli molto dolore. Ma Giovanni restava di ghiaccio. La mamma spiegò al medico: "Gli uomini non piangono, mio figlio l'ho educato così da piccolissimo". E non pianse neppure la volta che scivolò in bagno. Lo hanno raccontato le sorelle: uscì e disse molto tranquillamente: "Ho picchiato la testa, sto sanguinando".»

«Cosa ci faceva Giovanni a Sferracavallo?»

«Si era trasferito lì con la famiglia durante la seconda guerra mondiale, perché a Palermo bombardavano. Stava in una villa vicino al mare. Ma siccome c'erano pericoli anche lì, poi si spostarono tutti in campagna, a Corleone.»

Tra i pullman dei turisti e il solito traffico del centro era praticamente impossibile trovare parcheggio. Al centesimo giro attorno alla Cattedrale trovammo un buco. Camminammo fino alla piazzetta che c'è dietro la chiesa: piazza Sett'Angeli. Papà mi indicò il portone del grande palazzo che aveva esposte le bandiere dell'Italia e dell'Europa. Sul portone di ferro c'era scritto: Convitto Nazionale.

«Giovanni veniva a scuola qui.»

«Lasciami indovinare, papà: Giovanni era il primo della classe...»

«Ti sbagli. Non era un secchione. C'era un certo Nonò, per esempio, che prendeva voti migliori dei suoi. E la mamma non perdeva occasione per farglielo notare: "Che bravo quel Nonò... Impara da quel Nonò..."»

«Come fai tu: "Che bravo quel Simone... Impara da quel Simone..."»

«Con la differenza che Giovanni aveva comunque ottimi voti... Era bravo, ma non un secchione. Anzi, in classe non riusciva a stare fermo. La maestra lo sapeva e lo chiamava spesso alla lavagna per consentirgli di fare una camminata. E fuori si azzuffava spesso con i compagni. Quasi sempre per difendere qualcuno. Gli studenti portavano un cappellino con le lettere C.N.: le iniziali di Convitto Nazionale. Certi spiritosoni delle classi superiori, immagina dei tipi come Tonio, fermavano i più piccoli per prenderli in giro: "Nel tuo caso, C.N. significa Cretino Nazionale"... Giovanni s'infuriava.»

Sinceramente non riuscivo proprio a immaginarmi che reagivo a tipi come Tonio col coltellino in tasca... Forse perché io ho uno zio gelataio, uno geometra, uno disoccupato, ma nessun eroe di guerra in famiglia.

«Oppure» continuò papà «scacciava gli ammiratori che ronzavano attorno ad Anna e poi tranquillizzava la sorella: "Non ti preoccupare, ci penso io".»

«Ma oltre a prendere bei voti a scuola e a difendere il mondo, quel bambino si divertiva ogni tanto? Gli piaceva giocare?»

Confesso che all'inizio della storia quel Giovanni così perfettino ed eroico, nato senza lacrime e coi pugni chiusi, non mi risultava troppo simpatico.

«Certo che si divertiva» rispose papà. «Per esempio, gli piaceva tantissimo il ping pong. Ci giocava all'oratorio con Maria o con gli amici. Frequentava la parrocchia della Santissima Trinità alla Magione, vicino a casa, e quella della Kalsa che ti ho fatto vedere. Gli piacevano i soldatini di piombo, gli piaceva inventare duelli con le spade di legno sui muretti del lungomare. Zorro era uno dei suoi eroi preferiti. Altri eroi li trovava nei libri di casa: il papà di Giovanni aveva una grande biblioteca e Giovanni divorava libri di avventura e di viaggi. Leggeva e sognava. Uno dei suoi preferiti era *I tre moschettieri*.»

«Uno per tutti, tutti per uno!»

«Forse la volta che si ferì alla gola con un tagliacarte, Giovanni stava giocando al moschettiere...»

«E non pianse neppure quella volta.»

«Pare di no. E poi gli piaceva il mare, naturalmente. Prendeva l'autobus e andava sulle spiagge di Mondello. Noi, adesso, ci andiamo in macchina.»

Il sole si stava scaldando e l'idea di togliermi i vestiti e sdraiarmi sulla sabbia mi pareva brillante. A maggio l'acqua del mare è ancora abbastanza fredda, ma con un po' di coraggio ci poteva scappare anche un bel tuffo. Tornammo verso il gippone.

Notai subito il foglietto sotto il tergicristalli.

«Papà» dissi, «o hai degli amici da queste parti, o abbiamo preso una multa.»

Il lucertolone di Favignana

Papà strappò il foglietto dal parabrezza, si guardò attorno e si lanciò alla rincorsa della vigilessa che si stava allontanando in bicicletta. Riuscì a fermarla. Da lontano, lo vedevo gesticolare come faccio io con la maestra quando devo spiegarle il solito incredibile incidente che mi ha impedito di fare i compiti a casa: casa allagata dalla lavatrice, esplosione del forno a microonde... La vigilessa dondolò la testa, come in genere fa la maestra. Papà tornò col fiatone e con due laghi di sudore sotto le ascelle.

«Niente da fare...» sospirò.

«C'era il cartello, papà.»

«L'avevo visto, ma abbiamo in divieto di sosta solo mezza ruota. Poteva anche chiudere un occhio!»

Mise in moto il gippone e, sorpassando la vigilessa in bicicletta, fece una bella strombazzata col clacson che a momenti la poverina si ribaltava... Scoppiammo a ridere.

«Che scuole ha fatto poi, Giovanni?»

«Dopo le medie e il liceo classico, fu un po' indeciso. Medico? O ingegnere? Gli piacevano tutte e due le professioni. Alla fine scelse la terza strada: Accademia Navale.»

«Lo capisco: tra studiare e andare in barca...»

«Guarda che si studia anche all'Accademia.»

«Perché allora ha scelto le navi, se gli piaceva fare il medico o l'ingegnere?»

«Forse, a forza di leggere tutti quei libri di avventura e di viaggi, gli era venuta voglia di prendere il largo e conoscere il mondo. O forse voleva fare la sua prima esperienza lontano da casa. Come si dice: muoversi con le sue gambe. Giovanni ormai aveva quasi vent'anni e non si era praticamente mai mosso da Palermo. L'Accademia Navale era a Livorno, in Toscana, lontano dalla Sicilia. Ai tempi del nonno, i ragazzi non avevano tutte le libertà che ti do io.»

Qui feci una smorfia senza parole.

«Per esempio» continuò papà, «Giovanni dovette insistere a lungo per convincere suo padre a fargli mettere per la prima volta i pantaloni lunghi.»

Altra smorfia.

«Sì, i pantaloni lunghi. Un tempo era così. Oggi tu e i tuoi amici ve li andate a comprare da soli, probabilmente al circo, visto quelle zampe d'elefante... Ti ho spiegato che sua mamma gli voleva bene, ma era anche molto esigente. Forse a Giovanni piaceva l'idea di passare quel periodo di studi lontano da casa, sentiva il bisogno di stare un po' da solo per crescere, per prendere da solo le decisioni di tutti i giorni, per conoscere altre persone.»

«Senza doversi confrontare con Nonò e gli eroi di guerra» aggiunsi io.

«O forse è vero il contrario: Giovanni andò all'Accademia Navale proprio per dimostrarsi all'altezza di quei soldati di famiglia che difendevano la Patria.»

«Si trovò bene a Livorno?»

«Non tanto. La vita da caserma non faceva per Giovanni: le regole rigidissime, certe tradizioni stupide, tipo gli scherzi che gli studenti più vecchi facevano a quelli appena arrivati... Lui difendeva tutti come ai tempi dei cappellini con la sigla C.N. Una volta si trovò nel bel mezzo di una scazzottata sulla *Amerigo Vespucci* e si beccò un bicchiere in testa... La conosci l'*Amerigo Vespucci*?»

«No» risposi.

«Passami il mio zaino.»

Presi lo zaino dal sedile posteriore e lo allungai a papà che, tenendo il volante con una mano sola, tirò fuori una fotografia a colori: uno splendido veliero.

«Questa è l'*Amerigo Vespucci*: una nave scuola. Gli allievi dell'Accademia la usano ancora oggi per imparare a navigare. Gli eroi di cui leggeva Giovanni da bambino stavano al timone di navi del genere, sulle onde dell'oceano. Non è magnifica?»

Papà mi aveva sorpreso come un prestigiatore: non me la aspettavo, quella nave pescata dallo zaino... Dovevo avere una faccia da pesce lesso.

«Se devo raccontare una storia» mi spiegò sorridendo, «mi piace raccontarla bene. Per esempio, leggi queste...» E tirò fuori dallo zaino un paio di fogli ingialliti.

«Cosa sono?»

«Lettere che il padre di Giovanni spedì al figlio in Accademia.»

«E dove le hai prese?»

«Segreto del narratore. Da queste lettere si capisce che il signor Arturo soffriva molto per la lontananza del figlio. I genitori di Giovanni avevano fatto di tutto per convincerlo a non scegliere l'Accademia.»

Non era facile leggere quella scrittura piccolissima e storta. Tutto quello che riuscivo a decifrare sul primo foglio era: *"... a me non resta che dirti del mio pensiero affettuoso continuo per il mio 'biddicchiu' che vuole fare 'u' marinariello'... Ti bacio e ti ribacio. Papà tuo".*

«Biddicchiu?»

«Vuol dire "bellino", "carino", in dialetto siciliano. È un nomignolo affettuoso» mi spiegò papà.

Sul secondo foglio: «*Una mulitazione...*»

«Mutilazione» mi corresse papà. «Significa: un taglio.»

" Una mutilazione è avvenuta nella nostra famiglia: un suo elemento si è distaccato per vivere un'altra vita, la sua vita perfetta. Col tempo forse ci adatteremo..."

«E invece non si adattò neppure Giovanni, che dopo pochi mesi tornò a casa. Volevano fargli fare la carriera militare perché dicevano che era bravo a comandare, ma lui aveva scelto l'Accademia per diventare ingegnere navale. Voleva studiare, non comandare. E così levò le ancore... Tornò a Palermo e cominciò a frequentare l'Università di Legge, per diventare un avvocato o un giudice, per difendere quelli che subiscono ingiustizie e punire quelli che ne commettono. Come in fondo faceva già alle elementari. Quello sarebbe stato il lavoro di Giovanni: combattere per la giustizia. Come Zorro. Ma non sui muretti del lungomare. Nei tribunali e per le strade di Palermo.»

«Come l'Uomo Ragno per le strade di New York» aggiunsi io.

Messa così la storia, Giovanni cominciava a diventarmi un po' più simpatico. Mi piace un sacco l'Uomo Ragno. Avevo appena visto il film al cinema Apollo.

Eccoli, i muretti del lungomare di Mondello. Parcheggiammo il gippone. Prendemmo una cabina e due sdraio al Kursaal.

Scendemmo a stenderci sui teli di spugna in riva al mare.

«Giovanni da piccolo veniva a Mondello con gli amici e si fermava a giocare sulle spiagge libere. Da grande, andava spesso ai bagni dell'Hotel La Torre, che sono un po' più avanti, oppure nella sua villa all'Addaura.»

Papà puntò il dito verso il mare: «Li vedi quegli scogli là in fondo? Giovanni aveva una casa più o meno da quelle parti. Una bella villa sul mare. Te ne parlerò. C'entra con la nostra storia. A Giovanni piaceva molto nuotare e andare in canoa.»

Non c'era tanta gente in spiaggia. Il programma di papà prevedeva: "Un po' di sole, bagno in acqua fredda per uomini veri, panini al bar dei bagni e megasfida a ping pong". Approvai in pieno.

Riprese a raccontare. «Giovanni non cominciò a lavorare a Palermo. Il suo primo incarico fu a Lentini. Aveva ventiquattro anni. Era pretore in un ufficio con altre due persone. Il primo caso da sbrigare fu un incidente sul lavoro. Un uomo era morto per il crollo di un cantiere, seppellito sotto le macerie. Ben più impressionante fu un altro caso che risolse qualche tempo dopo, quando trovarono un uomo e sua moglie morti, abbandonati in un porcile.»

«Tra i maiali?»

«Sì, morti ammazzati con due colpi di lupara.»

«La lupara è un fucile, vero?»

«Con le canne mozzate: un tempo si usava per cacciare i lupi. Giovanni trovò il colpevole: era stato il nipote. Dopo un anno a Lentini, lo trasferirono a Trapani, dove rimase per dodici anni. Qui fece un po' di tutto, dalla lotta ai contrabbandieri che sbarcavano sulle coste trapanesi con scatoloni di sigarette fuorilegge alla sorveglianza in carcere. E fu proprio nel carcere di Favignana che rischiò per la prima volta la vita.»

«L'isola di Favignana?»

«Sì, sull'isola avevano costruito una prigione di massima sicurezza per detenuti molto pericolosi. Uno di questi chiese di parlare con Giovanni e all'improvviso lo immobilizzò. Così...»

Papà mi saltò alle spalle, mi bloccò con un braccio sotto la gola e mi puntò un sasso sotto il mento.

«Il terrorista si è procurato un coltello chissà

dove e ora minaccia di sgozzare Giovanni se non accettano le sue richieste: chiede di essere trasferito in un altro carcere con la sorella e di leggere un messaggio alla radio. Urla, trema, è nervosissimo, ha un tatuaggio enorme che gli parte dal collo e prosegue in faccia, un disegno mostruoso fatto con migliaia di puntini verdi, sembra un lucertolone impazzito: non è una bella cosa trovarsi tra le mani di un tipo del genere, con un coltello puntato alla gola. Arrivano altre guardie del carcere e cominciano a trattare col prigioniero che continua a urlare. Leggono il suo messaggio a una radio locale. Il prigioniero però non si accontenta, fa altre richieste, urla ancora, sempre più agitato. Passano le ore, il terrorista può perdere la testa da un momento all'altro, Giovanni è sempre lì, immobile, con un coltello alla gola. Ma resta tranquillo, freddo, come da piccolo davanti al dottore di Sferracavallo. Alla fine, il lucertolone si arrende e consegna il coltello. Non ha passato una bella giornata, il nostro Giovanni… Ad aspettarlo sul molo di Trapani trova la moglie e i suoi amici. La sera si ritrovano tutti in casa di Giovanni per festeggiare lo scampato pericolo.»

Mi liberai dalla morsa di papà: «Non me l'avevi detto, che si era sposato.»

«Rita. Giovanni la conobbe a una festa a Palermo e s'innamorò subito. Un colpo di fulmine. La sposò due anni dopo. Giovanni aveva venticinque anni, Rita solo venti.»

«Era bella?»

«Molto. Bruna, con gli occhi grandi. Hai presente Valentina, la figlia del fioraio che sta accanto al nostro negozio di viale Libertà?»

È molto carina davvero, e ogni tanto torniamo a casa da scuola insieme.

«Cosa c'entra Valentina?»

«A giudicare dal tuo improvviso color rosso rapanello, qualcosa c'entra...»

Papà schivò il mio destro. A forza di rincorrerlo, ci trovammo in acqua. Che non era calda come in agosto, ve l'assicuro.

L'incontro col mostro

Fu uno spasso lottare in acqua con papà. Io lo attaccavo alle spalle, cercavo di montargli sulla schiena, ma lui mi sollevava e mi faceva volare cinque metri più in là. Più divertente che tuffarsi dal trampolino. Dalla pancia non si direbbe, ma mio padre va in palestra e ha due braccia che sembrano due tronchi d'albero.

Alla fine tornammo a sdraiarci sugli asciugamani. Esausti. Mi sembrava di aver attraversato a nuoto tutto lo stretto di Messina… Era quasi mezzogiorno, ormai. Il sole era caldissimo. Ci asciugò in un attimo.

«A Trapani, Giovanni incontrò per la prima volta il nemico che avrebbe combattuto per tutta la vita. Un mostro feroce, spietato, quasi impossibile da battere perché enorme e senza volto.»

«Un mostro?» domandai.

Papà si mise a sedere. Avevo la netta impressione che la storia fosse arrivata a un punto molto importante.

«Te lo spiego con un esempio. Prendiamo la tua classe: quanti siete?»

«Ventisette.»

«Bene. La tua classe è una piccola città di ventisette abitanti, guidata dalla maestra, che detta le regole, dice cosa bisogna fare, dà buoni voti a chi fa bene i compiti, punisce chi arriva in ritardo o non si comporta bene. Tutte la classi hanno una maestra, che dipende dal preside. Giusto? È lui che ha la responsabilità di tutta la scuola, deve mantenere l'ordine e curarsi che le lezioni si svolgano in modo corretto. Quindi, riassumendo: presidi e maestre hanno il compito di far rispettare la legge. Chiaro?»

«Chiaro.»

«Mettiamo il caso che un giorno uno studente, chiamiamolo Tonio, si presenta da te e ti ordina: "Dammi i soldi che hai in tasca". Non è giusto. Quei soldi sono tuoi, è la tua mancia e tra l'altro ti serve per comprare le figurine dei calciatori. Allora tu vai dalla maestra per farti difendere. La maestra ne dice quattro a Tonio. Tonio ci riprova.

Tu torni dalla maestra. La maestra porta Tonio dal preside che lo sospende per una settimana dalla scuola. È stata applicata la legge e tu sei stato difeso giustamente. Chiaro?»

Cominciavo a capire il senso di quella strana giornata al mare…

«Chiaro» risposi.

«Mettiamo invece che tu non vada dalla maestra, ma, spaventato dal coltellino di Tonio, gli dia i tuoi cinque euro. E tutti i tuoi compagni di classe fanno lo stesso. Tutti, tranne uno, che chiamiamo Simone. Lui non ha paura, non paga, ma un giorno Tonio, che è più grande e più forte, gli lega le stringhe delle scarpe, lo spinge giù dalle scale e Simone si rompe un braccio. Tonio dovrebbe essere punito, ma la maestra non può farlo perché non ha visto la scena e chi l'ha vista sta zitto per paura. Così Tonio può continuare a mettersi in tasca soldi non suoi. Il risultato è che nella tua classe ora esistono due leggi: quella giusta, della maestra e del preside, l'unica che dovrebbe valere; e quella di Tonio, illegale, la legge del più forte. Avrai già sentito la parola mafia.»

«Sì, papà.»

«È una parola molto antica. Pensa, apparve per

la prima volta in un vocabolario nel 1868, con due significati: "miseria" e "prepotente". L'autore del vocabolario spiega che la mafia è la "miseria" di chi crede che vale solo la legge del "prepotente". E aggiunge: quell'uomo si crede tanto importante grazie alla sua forza e invece è una bestia, perché solo tra le bestie la ragione sta dalla parte del più forte. Si sente un uomo rispettato, un "uomo d'onore", e invece è come un animale. 1868: più di un secolo fa. Sai cosa succederebbe se Tonio per un secolo intero continuasse a intascare le mance dei compagni in classe?»

Non finirei mai un album di figurine, pensai. Ma risposi: «Non so.»

«Te lo dico io» continuò papà. «Tra cento anni, dare quei soldi a Tonio non ti sembrerebbe più un'ingiustizia, ma una cosa normale. Pensaci. Abituato a farlo ogni giorno, ti sembrerebbe una cosa giusta, come dare i soldi al bidello in cambio della pizzetta all'intervallo. Non ricorderai più che la richiesta di Tonio era nata come una prepotenza e non ti verrà più in mente di andare dalla maestra per farti difendere. A forza di accettare l'ingiustizia, non vedrai più l'ingiustizia. Non vedrai più due leggi diverse in classe: quella della maestra, giusta, e quella di Tonio, ingiusta. No, ne vedrai una sola: quella della maestra, del preside e di Tonio. E ubbidirai allo stesso modo. Anzi, siccome Tonio usa il coltellino e la maestra no, ubbidirai alla legge di Tonio anche a costo di andare contro la legge della maestra. È quello che è successo nella nostra Sicilia.»

«Cioè?»

«Accanto alla legge giusta, quella dei sindaci, della polizia, dei giudici, che regola la vita delle città, se n'è formata un'altra, di prepotenti che, ad esempio, entrano in un negozio e dicono al proprietario: "Tu ogni mese devi darci dei soldi. In cambio noi ti proteggiamo. Se non accetti, mettiamo una bomba e ti salta in aria il negozio. Se provi a rivolgerti alla polizia, te ne pentirai". E come voi non andate dalla maestra e fate finta di non vedere Simone che rotola dalle scale, così il negoziante non andrà alla polizia, starà zitto e ogni mese pagherà per paura di saltare in aria col suo negozio. A forza di pagare, alla fine gli sembra una cosa normale, giusta, come pagare il canone della televisione. Capisci? Ricordati la data di quel vocabolario: 1868. Dopo oltre un secolo di ingiustizie del genere, la mafia, l'insieme di quei prepotenti che si credono grandi uomini e invece sono bestie, è diventata una legge accettata da molti, in Sicilia, rispettata come la legge dei sindaci e della polizia. Anzi, spesso le due leggi sono la stessa cosa, perché ci sono poliziotti e sindaci che stanno dalla parte della mafia.»

«Come se Tonio dividesse i soldi che ci ruba col preside?»

«Esatto. Ed è proprio quello che Giovanni vede per la prima volta da vicino a Trapani. Bisogna processare un certo don Mariano, un capo mafioso accusato di delitti terribili. A vederlo in aula non si direbbe: non pensare al lucertolone di Favignana. Don Mariano è un signore distinto, vestito bene, molto gentile, sorride, risponde in modo educato. Quando ti dico che Giovanni dovrà combattere un mostro senza volto, voglio dire anche questo: un mafioso non è un indiano in assetto di guerra che riconosci subito dalla faccia dipinta. Un mafioso può essere vestito da salumiere, da imbianchino o magari da carabiniere...»

«Sono in mezzo a noi come dei mostri travestiti?»

«Più o meno... In aula, a Trapani, ci sono la moglie e la sorella di due persone uccise. Incolpano don Mariano. Viene ritrovato anche un quaderno di un altro uomo assassinato e anche quei fogli accusano don Mariano. Vengono fatte ricerche sulla montagna di soldi che don Mariano ha in banca. Ma tutto questo non serve a far condannare il mafioso. Le prove non bastano, spiegano i giudici di Trapani: assolto. Capisci? Simone si è rotto il braccio, tutti accusano Tonio, ma il preside dice che le prove non bastano e Tonio torna a casa con le tasche piene di soldi. Giovanni, alla fine di quel processo, commenta: "La giustizia è stata sconfitta". Ma una battaglia persa spesso ti aiuta a vincere quella successiva. Quello fu il primo incontro diretto di Giovanni con la mafia. Gli servì per capire che razza di mostro avrebbe dovuto combattere e che armi avrebbe dovuto usare. In quegli anni a Trapani si preparò al grande scontro che avrebbe affrontato a Palermo, nella sua città. Lì doveva giocarsi la grande partita. Giovanni ci arrivò nel '78: aveva quasi quarant'anni. Come me.»

«Perché proprio a Palermo, papà?»

«Hai fame?»

«Tanta.»

«Saliamo al bar, che te lo spiego.»

Possano bruciare le mie carni, se...

Ci sedemmo ai tavolini del Kursaal. Oltre a noi, c'era solo un uomo anziano, che leggeva il giornale e beveva un caffè. Papà ordinò un'insalata di piovra e patate, io un mega cheeseburger con patatine fritte. Mentre aspettavamo che ci portassero i piatti, papà mi stupì con un altro gioco di prestigio. Tirò fuori dallo zaino un carciofo.

«Sai come si chiama la corona di foglie del carciofo?» mi chiese.

«No.»

«Cosca.»

«Cosca?»

«Cosca. Ma è una parola che non si usa quasi più, adesso ha un altro significato: gruppo di mafiosi. Cosca o anche famiglia. Quando Giovanni tornò a lavorare a Palermo, la città era come questo carciofo: ogni quartiere, una cosca di mafiosi.»

Papà staccò una foglia dal carciofo e la appoggiò sul tavolo: «La cosca di Ciaculli.» Poi, via via, ne staccò altri: «La cosca di Corso dei Mille, la cosca di Porta Nuova, la cosca di Santa Maria di Gesù…»

In quel momento arrivò il barista, che disse divertito: «Carciofi ne abbiamo anche noi, non c'era bisogno che se lo portava da casa…»

«È soltanto un gioco» spiegò papà sorridendo.

Aspettò che il barista si fosse allontanato e riprese a parlare: «In ogni quartiere di Palermo c'era una famiglia di mafiosi che imponeva la sua legge ingiusta. Ogni quartiere di Palermo era una classe con un Tonio dentro.»

«Come si entra in una famiglia, papà? Devi essere parente?»

«No. Devi fare un giuramento, promettere fedeltà e rispettare le regole della cosca.»

«Un giuramento come nelle sette segrete?»

«Esatto. Infatti si pensa che il rituale della mafia derivi proprio da un'antica setta religiosa del Medioevo.»

«Come avviene il giuramento?»

«Con una cerimonia. Un uomo, di solito abbastanza anziano, un uomo d'esperienza, pronuncia un discorso all'aspirante mafioso, mentre altri due membri della famiglia ascoltano e fanno da testimoni.»

«Come ai matrimoni?»

«Più o meno. Nel discorso il mafioso denuncia le ingiustizie sociali e ricorda che la cosa si preoccupa di difendere i deboli, gli orfani, le vedove...»

«La cosa?»

«Nel giuramento non si parla mai di mafia. Tra loro non pronunciano mai la parola. Dicono la cosa.»

«Ma sembra una cosa buona: combattere le ingiustizie, difendere gli orfani...»

«Ricorda: è una forma di giuramento molto antica. Forse un tempo c'era davvero bisogno di associazioni che difendessero i più deboli, quando l'Italia era appena nata, ai tempi di Garibaldi, e lo Stato non aveva ancora istituzioni forti, ma oggi noi abbiamo le leggi, la polizia, i giudici. Devono essere loro a combattere le ingiustizie per noi. Non possono esserci due maestre nella stessa classe. In realtà oggi gli uomini d'onore – perché tra loro i mafiosi si chiamano così: uomini d'onore – hanno ben altri interessi. E presto lo vedrai.»

«Torniamo al giuramento, papà. L'uomo d'onore parla, i due testimoni ascoltano. E quello che deve entrare nella famiglia?»

«Ascolta anche lui. Gli chiedono se accetta di entrare nella cosa, lui risponde di sì, allora l'uomo d'onore chiede ai due testimoni di pungere il dito del nuovo mafioso con una spina di arancia amara e di versare una goccia di sangue su un'immaginetta sacra. Infine bruciano la figurina della santa: il nuovo mafioso deve tenerla in mano finché il fuoco si spegne e pronunciare queste parole: "Le mie carni debbono bruciare come questo santino se non manterrò fede al giuramento".»

«Ma si ustiona le mani!»

«No, basta che si passi la figurina da una mano all'altra, finché non diventa cenere. Così...»

Papà strappò un pezzo di tovagliolino di carta, gli diede fuoco con l'accendino e cominciò a palleggiarselo tra le due mani: «Vedi?»

Sì, vedevo che la sua faccia diventava sempre più rossa... Infatti lasciò cadere il tovagliolo nel piatto, si versò in gran fretta l'acqua minerale sulle mani e poi nel piatto per spegnere il fuoco. Scoppiai a ridere tanto che mi andò di traverso il cheeseburger.

«Non sei un grande mafioso, papà...»

L'uomo che stava bevendo il caffè nel tavolo vicino abbassò il giornale e mi guardò malissimo. Forse avevo alzato troppo la voce.

«Dev'essere che i tovaglioli bruciano più dei santini...» scherzò papà, soffiandosi sulle mani. «Comunque, finito il fuoco, l'uomo d'onore che dirige il rito, svela al nuovo mafioso che la cosa ha un nome: Cosa Nostra.»

«Cosa Nostra?»

«È un altro nome della mafia. Cominci a capire? È un mostro dalle mille facce e ha più tentacoli di questo polipo che sto mangiando. Vedrai. Dopo avergli svelato il nome della cosa, il vecchio mafioso spiega al nuovo come è organizzata la famiglia: in alto c'è un *capo*, eletto dagli uomini d'onore, affiancato da un *vicecapo*; sotto di loro ci sono due o tre *consiglieri* e più sotto ancora i *capodecina*, che comandano i *soldati* o *picciotti*. Il nuovo mafioso viene presentato a tutti i membri della famiglia e a quel punto è diventato un uomo d'onore anche lui. Come dicono loro: il ragazzo è stato *combinato*. Se il mafioso tradirà, verrà cacciato dalla famiglia e si dirà: è stato *posato*. La mafia ha un vocabolario tutto suo, così come ha leggi e regole tutte sue. È un mondo a parte, invisibile ma presente dappertutto. Capisci?»

«Ogni famiglia mafiosa è come un piccolo esercito, dal comandante più importante fino all'ultimo soldato che esegue gli ordini.»

«Esatto. E in ogni quartiere di Palermo c'è un esercito del genere. I capi più importanti formano la *cupola,* cioè una specie di stato maggiore della mafia. Immagina una chiesa: la cupola è quel tetto curvo che sta in alto. La *cupola* della mafia sta al di sopra di tutte le famiglie. Lì si prendono le decisioni più importanti, che valgono per tutte le cosche. Magari due famiglie sono in lotta tra loro perché vogliono imporre la loro legge sullo stesso territorio. È la *cupola* che deve decidere chi ha ragione. Il capo della *cupola* è il grande capo della mafia. Il numero uno. Quello che ha in mano tutto il carciofo.»

«Il più cattivo?»

«Con un esempio, ti faccio capire subito quanto è feroce il mostro che Giovanni sta per combattere.»

Papà si chinò un'altra volta verso lo zaino e questa volta tirò fuori una fotografia, un piccolo calciatore di Subbuteo e una bustina di aspirina. Mi passò la fotografia che ritraeva un ragazzino a cavallo, con gli stivali e il cappellino da fantino, mentre saltava un ostacolo. Un gran bel salto. Doveva saperci fare, quel ragazzino.

«Si chiamava Giuseppe. Aveva qualche anno più di te. Gli piacevano moltissimo i cavalli. Non aveva fatto niente di male. Sai qual era la sua unica colpa? Essere figlio di suo padre.»

«Che razza di colpa è? Anch'io sono figlio di mio padre...»

«Ma Santino, il papà di Giuseppe, era un uomo d'onore e la sua famiglia era in guerra con un'altra famiglia. Per punire Santino, il mostro ha fatto sparire suo figlio.»

«Sparire come?»

«Per anni è rimasto un mistero. Un caso di "lupara bianca". Quando una persona sparisce nelle mani della mafia e non si sa che fine abbia fatto, si dice così: "lupara bianca". La fine di Giuseppe è rimasta un mistero, poi un giorno un mafioso finito in carcere raccontò la verità e svelò come lo avevano fatto sparire.»

«Come, papà?»

«Così.»

Papà strappò la bustina, tirò fuori il dischetto d'aspirina, versò un po' d'acqua nel bicchiere e ci buttò dentro l'aspirina che cominciò a frizzare.

«Cosa significa?»

Papà non mi rispose. Restò a fissare il bicchiere, serio, finché il dischetto bianco non si sciolse del tutto e l'acqua tornò limpida. Restai a guardare anch'io in silenzio.

«Hanno messo il corpo di Giuseppe in un bidone pieno di acido, un liquido capace di sciogliere qualsiasi cosa. E alla fine di Giuseppe non è rimasto più nulla.»

«Sì è dissolto come questa aspirina?»

«Come questa aspirina. Non è rimasto più nulla.»

«Ma era un bambino...»

«E non è ancora tutto. Voglio che tu capisca subito che razza di mostro sta per combattere Giovanni. Chi ha ucciso Giuseppe, l'ha tenuto in casa sua per settecentosettantanove giorni: gli dava da mangiare e alla sera giocava con lui ai videogiochi. Un bel giorno gli ha messo una corda attorno al collo, lo ha strangolato e poi lo ha gettato nel bidone dell'acido. Capisci?»

No che non capivo. «Come si fa a uccidere un bambino che per due anni ha mangiato con te e ha giocato con te?»

«Ricordati cosa diceva quel vecchio vocabolario: bestie, non uomini. Gente che uccide parenti con un fucile da lupi e lascia i cadaveri tra i maiali. Animali tra gli animali. Anzi, peggio. Perché gli animali uccidono per fame e per istinto, mentre i cosiddetti uomini d'onore, che a differenza delle bestie possono pensare, uccidono per odio e fame di potere. Giovanni non voleva lasciare la sua città nelle mani di questa gente. Voleva che un giorno anche a Palermo valesse una legge sola: la legge giusta. Per questo ha speso tutta la sua vita a combattere il mostro.»

Non riuscivo a staccare gli occhi dal bicchiere. Come si può essere così feroci da sciogliere in un bidone la voglia di giocare che ha un bambino? I suoi capelli, i suoi occhi, i suoi sogni, l'amore per

sua mamma, tutta la vita che aveva davanti e le cose che non aveva ancora imparato a scuola: tutto...
Avrei voluto vederlo in faccia, quell'uomo d'onore
che ha avuto il coraggio di sollevare Giuseppe e
di metterlo nell'acqua, e poi magari è rimasto lì a
guardarlo che spariva come un'aspirina. Ecco, fu
davanti a quel bicchiere d'acqua che, per la prima
volta in vita mia, pensai al coltellino di Tonio senza paura. Anzi, con rabbia. Immaginai Giuseppe
con le lettere C.N. sul suo berretto da fantino e
Tonio che gli chiedeva i soldi delle figurine. Lo
avrei difeso con tutte le mie forze. A pugni chiusi,
come Giovanni quando nacque.

«Animali» disse ancora papà prendendo in mano l'omino del Subbuteo. «Una volta in una vasca
d'acido hanno trovato un orologio: tutto ciò che
era rimasto di un nemico sciolto. Altrimenti, per
far sparire i corpi, la mafia sceglie il mare.»

«Il mare?»

«Guarda questo omino del Subbuteo: ha una
specie di piedistallo di plastica che gli consente di
stare dritto e di colpire il pallone. Immagina un
uomo vero che abbia un piedistallo di cemento o
un grosso masso legato alle gambe. I mafiosi fanno

così: lo portano al largo con una barca e lo gettano in acqua. Il fondo di questo mare è come un campo di Subbuteo... Un campo di omini uccisi.»

Papà lasciò cadere l'omino che scese lentamente nell'acqua e si fermò sul fondo del bicchiere. L'uomo vicino a noi si alzò, chiuse il giornale e prima di andarsene disse a papà in tono serio: «Un'aspirina non ha mai resuscitato un infame.»

Io e papà ci guardammo senza dire nulla. L'uomo uscì dai bagni.

«Era un mostro travestito?»

«Forse» rispose papà, alzando le spalle. «Non è mai consigliabile parlare di mafia a voce alta, soprattutto quando saremo dalle parti del tribunale. Sarà meglio parlare di carciofi... Vieni, torniamo a riva.»

Verso le tre facemmo un altro bagno, ma senza fare la lotta o altri giochi. A pensare il mio mare come a un cimitero mi era passata la voglia di scherzare. Mi sembrava addirittura che l'acqua puzzasse di pesce marcio e che i miei piedi frizzassero come un'aspirina. Uscii quasi subito, dopo una nuotatina. Anche perché volevo sentire come continuava la storia di Giovanni. Volevo vederlo vincere contro il mostro. Mi sdraiai sul telo ad asciugare. Chiusi gli occhi.

Immaginai un bambino con la maschera di Zorro sul muretto di Mondello, una piovra gigantesca davanti a lui. E Giovanni che gli taglia i tentacoli con la sua spada di legno.

«Giovanni ritorna a Palermo. E poi, papà?»

Una vita da topo

«Giovanni comincia a lavorare al tribunale di Palermo, che non è troppo diverso da quello di Trapani, dove era molto difficile condannare qualcuno. Ricordi? Mancanza di prove. Il mostro ha molti amici anche dentro il tribunale di Palermo. Non si trovano mai i testimoni di un crimine. Qualsiasi cosa succeda: un omicidio, una rapina, un attentato… la gente del posto non ha mai visto nulla. Come si dice? "Io non c'ero, e se c'ero dormivo"… Simone cade dalle scale coi piedi legati e nessuno ha visto niente.»

«Però non è neppure bello fare la spia, papà.»

«Complimenti! Anche la mafia la pensa così… Per loro, il silenzio che protegge un crimine è un gesto da uomo vero e infatti usano una parola che deriva proprio dalla parola uomo: omertà.»

«Omertà?»

«L'omertà è la più grande qualità dell'uomo d'onore: *nun lu sacciu,* non lo so, non ho visto. Per me è vero il contrario: la più grande qualità di un uomo è aiutare la giustizia a punire i colpevoli e a liberare la gente dalla paura dei prepotenti. Per fortuna, quando Giovanni arriva al tribunale di Palermo, trova qualcuno che la pensa così. Si chiama Rocco, è un magistrato già anziano, ma duro come la roccia, uno che non ha paura di nulla. Non gli interessa fare carriera o tenersi buoni i potenti della città. Il suo mestiere è fare giustizia e solo quello gli interessa. Sai quei vecchi sceriffi del West che non si fanno corrompere e prendono a calci nel sedere anche i giovani pistoleri? Rocco era così. Al mostro non piaceva affatto perché non poteva raggiungerlo coi suoi tentacoli: impossibile spaventarlo e tanto meno comprarlo. E poi faceva spesso una cosa che il mostro proprio non poteva sopportare.»

«Quale?»

«Andava a scuola.»

«Anch'io non lo sopporto…»

«Rocco andava nelle scuole di Palermo a spiegare cos'è la mafia. Raccontava ai ragazzi le cose che ti sto raccontando io. Quando la pianta è ancora piccola è più facile raddrizzarla. Più cresce storta, più sarà difficile farlo dopo. Anche da piccoli si può combattere contro il mostro. Abituarsi alle prepotenze, scambiarle per leggi giuste, è già un modo di perdere la guerra. Difendere le proprie figurine è già un modo per vincerla. Per questo il mostro non sopportava che Rocco andasse a parlare nelle scuole. Capisci?»

«Credo di sì, papà.»

«Rocco era a capo dell'ufficio istruzione, l'ufficio dei magistrati che indagano per raccogliere prove e incastrare i delinquenti durante il processo. È in quell'ufficio che arriva Giovanni. Appena Rocco lo conosce, capisce che il ragazzo è fatto della sua stessa pasta. Non fa tanti complimenti, Rocco, anzi, alza spesso la voce, sorride poco, è un omone burbero, ma Giovanni gli è piaciuto subito, lo ha seguito nei primi lavori, sa che di lui ci si può fidare. Può essere un buon aiuto contro il mostro. Infatti lo chiama nel suo ufficio e gli affida una delle indagini più importanti, forse la più importante di quel periodo.»

«Contro la mafia?»

«Contro la foglia più pericolosa del carciofo: per cercare di strapparla sono già morti molti bravi investigatori e molti bravi poliziotti. Ora ci prova Giovanni. Il capo di quella cosca è diventato potentissimo e ricchissimo. Per dire: io ho dei soldi in banca, lui ha delle banche intere tutte sue... Fa affari anche in America, vive come un pascià in un grande albergo di New York. Si chiama Michele. Morirà in prigione, bevendo un caffè.»

«Un caffè?»

«Sì, corretto dai suoi nemici con un po' di veleno: cianuro. Nella famiglia di Michele c'è anche un tale Rosario che ha riempito di case mezza Palermo. È il suo lavoro: costruire case. La gente gli è riconoscente perché, aprendo tanti cantieri, fa lavorare tanti muratori. Il mostro si presenta spesso così: come un benefattore. Facci caso. Mafia è una parola femminile e inizia come mamma: suona dolce, protegge... Ricordi il giuramento?»

«Combattere le ingiustizie, difendere gli orfani e le vedove...»

«Bravo. Ma non è così. Mettiamo che si debba costruire una casa su questa spiaggia. Il Comune di Palermo dice: chi presenterà il progetto migliore costruirà la casa. Tu ti metti a studiarla, la disegni bene, fai i conti di quanto può costare costruirla e presenti il tuo progetto al concorso: la tua casa è la più bella di tutte e anche quella che costerebbe di meno. Poi arriva Rosario, che propone una casa orrenda con i muri storti e che costa anche un miliardo più della tua, ma le persone che devono decidere in Comune sono amiche di Cosa Nostra. Chi costruirà la casa? Tu o l'uomo d'onore Rosario?»

«Rosario.»

«Infatti. E i muratori andranno a lavorare nei cantieri di Rosario. Ma non vuol dire che stiano tutti dalla parte del mostro. Una volta Rocco l'ha detto chiaro: "Chi dice che la mafia ha l'appoggio della gente perché dà lavoro a migliaia di persone, sbaglia. È solo che la gente ha bisogno di lavorare e lavora dove può". Capisci? Il mostro è diventato ricco e potente anche rubando il lavoro agli altri. Combattere il mostro vuol dire anche lasciar costruire le case a chi le fa meglio, così domani Palermo sarà più bella, e consentire ai muratori di ricevere lo stipendio da persone oneste.»

«Giovanni ci riesce?»

«Giovanni comincia a fare delle ricerche su

Michele e Rosario, sulle banche e sui cantieri, come nessuno ha mai avuto il coraggio di fare, a parte le persone uccise...»

«E lui non rischia?»

«Certo che rischia. Figurati che gli arriva un avvertimento da un suo stesso collega, un magistrato come lui. "Cerca di non scoprire nulla, perché qui i giudici istruttori non hanno mai scoperto nulla." Così gli dice. Uno che riceve uno stipendio per fare ricerche cerca di convincere i colleghi a non scoprire nulla... Capisci? Tutti hanno sempre fatto finta di non vedere nulla: per paura o perché corrotti dal mostro. Come se la maestra vedesse Tonio che spinge Simone giù dalle scale ogni giorno e ogni giorno dicesse: "Non ho visto nulla, mancano le prove che sia stato Tonio. Tonio può andare a casa". Così è accaduto per tanti anni al tribunale di Palermo: i mafiosi entravano e uscivano assolti, liberi di tornare ai loro ricchi affari. Tutti d'accordo, tutti una cosa sola: Cosa Nostra. Ma stavolta Giovanni è deciso a scoperchiare il pentolone, ad aprire le finestre del tribunale per fare entrare aria nuova, aria buona. Infatti il mostro si preoccupa e comincia a puntare il mirino contro quel giovane magistrato tanto deciso a rompere le scatole… La vita di Giovanni cambia improvvisamente.»

«Deve viaggiare con la scorta?»

«Gliela danno nel 1980: da allora sarà sempre accompagnato da qualche guardia del corpo. Giorno e notte. Appena la madre di Giovanni lo viene a sapere, si spaventa tantissimo. Giovanni cerca di tranquillizzarla: "È solo una formalità, mamma, non corro nessun pericolo…"»

«Ma non era stata lei a volere un figlio eroe, che si sacrifica per il dovere e per la Patria, come gli zii Giovanni e Salvatore?»

«Sì, ma un conto è raccontare storie di eroi a un bambino, un conto è sapere che quel figlio può essere ucciso da un giorno all'altro. Come accade al generale Carlo Alberto, il 3 settembre del 1982: viene assassinato in pieno centro di Palermo, insieme alla moglie e alla sua scorta.»

«Chi era il generale Carlo Alberto?»

«Il Prefetto antimafia, il grande capo della guerra contro il mostro. Aveva cominciato a combattere il carciofo cento giorni prima. Dopo cento giorni esatti, Cosa Nostra l'ha già fatto fuori. Troppo intelligente e troppo coraggioso, Carlo Alberto, per non temerlo. Troppo intelligente e troppo coraggioso anche il vecchio Rocco.»

«Il mostro fa fuori anche lui?»

«Un anno dopo: luglio '83. Con un'auto imbottita di cinquanta chili di tritolo davanti alla sua casa. Muiono Rocco, due guardie del corpo e il portinaio della casa di Rocco. Un'esplosione gigantesca che fa cadere parte del palazzo come se fosse di sabbia. Un vero inferno. Dovevi vederlo, quel palazzo, sembrava che l'avessero preso a cannonate...»

«Una macchina piena di esplosivo per eliminare un vecchio sceriffo?»

«Quel vecchietto coraggioso che parlava ai bambini nelle scuole faceva più paura di un esercito. Pochi giorni dopo la morte del generale Carlo Alberto, la mamma di Giovanni sentì male al cuore, fu ricoverata in ospedale. Disse: "Morirò per la preoccupazione". Dopo la morte di Rocco, si chiese: "Adesso è toccata a lui, la prossima volta toccherà al mio Giovanni?" Due mesi dopo, l'anziana signora si spense. Forse è morta davvero per la preoccupazione. Si diceva che l'autobomba che uccise Rocco fosse stata preparata per Giovanni, che però in quei giorni non era a Palermo. Comunque, era certo che il prossimo obiettivo del mostro sarebbe stato Giovanni. Anche lui lo sapeva. Infatti, viveva rintanato come un topo.»

«Dove?»

«Non lontano da casa nostra, in via Notarbartolo. All'inizio raggiungeva il tribunale a piedi: da via Notarbartolo prendeva via della Libertà, verso il Politeama, fino al Giardino Inglese dove di solito incontrava un collega col quale prendeva un caffè in un bar, poi proseguivano tranquillamente insieme fino in ufficio. Ma appena comincia a fare domande sulla "foglia" di Michele e Rosario, la sua vita cambia. Un elicottero si abbassa sui tetti di via Notarbartolo per controllare che non ci siano pericoli, arrivano quattro auto di scorta con sirene e lampeggiatori accesi, scendono di corsa gli agenti con giubbotti antiproiettile e mitragliette: tre accompagnano Giovanni in ascensore, due fanno le scale a piedi. Le auto ripartono sgommando. È così che Giovanni va a lavorare ogni mattina, adesso.»

«Sembra un film.»

«Purtroppo è l'unico modo che ha Giovanni per cercare di sopravvivere a Palermo, facendo quello che fa. Costruiscono anche una torretta con vetri antiproiettile davanti alla sua casa, dove stanno alcune guardie, collegate con una centrale operativa, quando Giovanni è fuori. Durante la notte altre guardie stanno davanti alla porta del suo appartamento. Quando non è al lavoro, Giovanni vive rintanato nel bunker. Praticamente non esce più di casa. Troppo pericoloso. Non può più venire neppure qui a Mondello. Siccome gli piace tanto il nuoto, ogni tanto, a sorpresa, va alla piscina comunale con la sua scorta, ma sempre all'alba o di notte, quando non c'è nessuno.»

«Neppure al cinema?»

«Ci ha provato. Ma per ragioni di sicurezza dovevano tenere quattro file di poltrone vuote davanti e dietro di lui. Non è divertente guardare un film senza nessuno vicino. E poi non voleva dare fastidio agli spettatori. Così preferisce restarsene in casa a vedersi qualche cassetta al videoregistratore.»

«Neppure al ristorante?»

«Quando Giovanni entra in un ristorante c'è sempre qualcuno che si alza da tavola e si allontana: sanno chi è e sanno che possono fargli un attentato da un momento all'altro. Una bomba, un colpo di pistola… La gente ha paura a stargli vicino. E così Giovanni smette di andare anche al ristorante. Non va più da nessuna parte. Alle cinque di mattina si alza, fa un po' di ginnastica, poi lavora fino alle otto e mezzo, quando la scorta viene a prenderlo a casa. Lavora al tribunale fino all'una quando la scorta lo riporta a casa. Pranza, si riposa un po'. Alle quattro torna in ufficio. La sera cena a casa e prima di andare a letto lavora ancora un po'. Ricordi quella lettera che il padre gli scrisse ai tempi dell'Accademia Navale? *"Un elemento si è staccato dalla nostra famiglia per vivere la sua vita perfetta."* Ti sembra una vita perfetta, questa? Questa è una vita da topo in trappola. E Giovanni non lo fa per diventare ricco e famoso, lo fa per la sua città, perché un domani chi fa le case più belle sia libero di costruirle e chi ha un negozio non abbia più paura che gli salti in aria.»

«E Rita?»

«Rita non c'è più. La storia con Giovanni è finita. Non si vogliono più bene. Giovanni dice: "Non posso più fidanzarmi". Sa che tutte le persone che gli sono vicine corrono i suoi stessi pericoli. Ti ricordi come è finito il film dell'Uomo Ragno che abbiamo appena visto?»

«In un modo strano. Lui respinge la ragazza che gli piaceva tanto. Lei si mette a piangere, ma anche lui è triste. Non ho capito bene.»

«L'Uomo Ragno dice: "Chi ha grandi responsabilità, deve fare anche grandi sacrifici". Pensa a come è morto il generale Carlo Alberto.»

«In auto con la moglie.»

«Infatti. Giovanni non vuole che un'altra ragazza corra lo stesso pericolo. Poi però conosce Francesca e si innamora un'altra volta. Sai come si dice? Al cuor non si comanda... Puoi mettere cento guardie del corpo davanti al cuore, ma i sentimenti entrano lo stesso. L'amore è un mostro invincibile che arriva dappertutto.»

«Come la mafia?»

«Ma un mostro buono...»

«E dove l'ha conosciuta, Francesca, se non va più alle feste e resta sempre in casa?»

«In tribunale, naturalmente... È una collega: un magistrato, figlia di magistrati. Francesca quindi può capire e sopportare una vita così sacrificata: niente cene fuori, niente discoteche, niente spiaggia... Francesca conosce bene la guerra che sta affrontando Giovanni. Se Giovanni ha bisogno di una giacca o di un paio di scarpe, Francesca esce a comprargliele. Francesca fa tante delle cose che Giovanni, chiuso nel bunker di via Notarbartolo, non può più permettersi. Ma soprattutto, Francesca è un grande conforto nei momenti in cui Giovanni è giù di morale o è stanco. E quando uno è in guerra contro un mostro che nessuno ha mai sconfitto e combatte dalle cinque di mattina fino a notte fonda, quei momenti sono tanti.»

«Non gioca più neppure a ping pong?»

«Non so se aveva un tavolo nel bunker. So che gli amici, ogni tanto, andavano a trovarlo, anche se dovevano essere perquisiti dalla testa ai piedi prima di entrare nell'appartamento. Le cene e qualche festa in casa erano i soli svaghi che poteva permettersi. Forse aveva anche il tavolo da ping pong. Di sicuro qui ai bagni ce n'è uno: è l'ora della lezione.»

Papà gioca benissimo. È mancino, ma anche se usa la mano destra non riesco mai batterlo. Fa finta di perdere, mi lascia arrivare fino a diciotto punti, diciamo, poi comincia a schiacciare e in un lampo arriva a ventuno. È insopportabile... Soprattutto quando poi festeggia e fa finta che io sia la coppa. Successe anche quella volta al Kursaal. Mi prese per le spalle e mi sollevò sopra la sua testa, facendo un giro su se stesso per ringraziare il pubblico come fanno i tennisti che vincono a Wimbledon. Insopportabile, ma divertente...

Poi ci rituffammo per un ultimo bagno.

Tornai a riva seduto sulle sue spalle.

«Un giorno Giovanni si trovò a interrogare il capo di una foglia di carciofo, un certo Tommaso, che comandava la cosca mafiosa della Kalsa.»

«Il quartiere vicino a dove è nato Giovanni. Ci siamo stati stamattina.»

«Infatti. Giovanni lo vide e si ricordò che con quel Tommaso ci aveva giocato a ping pong all'oratorio tanti anni prima. È come se tu domani in tribunale ti trovassi a interrogare Tonio. Capisci?»

Quello che non capivo era che papà mi aveva promesso una grande storia, ma in una grande storia i bambini non si sciolgono in un bidone e gli eroi non vivono come topi in trappola.

«Ma Giovanni vincerà» mi assicurò papà. «Una grande vittoria. E adesso te la faccio vedere.»

Sgambettarlo, come Maradona

Facemmo la doccia e ci cambiammo in cabina, poi lasciammo la spiaggia e tornammo al gippone.

«Tra le tante minacce che arrivarono a Giovanni ci fu anche quella del Papa.»

Feci un salto sul sedile: «Il Papa sta col carciofo?»

Papà sorrise: «No... Michele detto il Papa, un mafioso chiamato così perché per un certo periodo è stato il capo più potente. Comandava tutti.»

«Il capo della cupola?»

«Sì, era il boss della cosca di Ciaculli e l'avevano eletto numero uno di Cosa Nostra. Un giorno disse a Giovanni: "Lei è bravo come Maradona. Per fermarla, bisogna farle lo sgambetto". Hai capito cosa vuol dire in questo caso farle lo sgambetto?»

«Ammazzarlo.»

«Certo. Ricordi quel bellissimo gol di Maradona in Messico che fanno sempre vedere in tivù?»

«Impossibile dimenticarlo: dribblò mezza Inghilterra e fece gol.»

«Anche gli inglesi cercarono di sgambettare Maradona, ma lui andava troppo veloce, non riuscirono a prenderlo. E non era tanto facile neppure sgambettare Giovanni. Anche perché Giovanni, come Maradona, giocava in una grande squadra.»

«Quale?»

«La chiamarono "pool antimafia". Era una squadra di uomini che, come Giovanni, non avevano paura delle minacce e volevano liberare Palermo dai tentacoli del mostro. Una squadra decisa a giocarsi la partita a viso aperto: all'attacco.»

«Dimmi la formazione, papà. Giovanni, poi?»

«Antonino. È il nuovo capo di Giovanni, ha preso il posto di Rocco. Anche lui è già abbastanza anziano, ma anche lui ha il cuore forte come una roccia. Non ha paura di nulla. Un ometto esile, ormai vicino alla pensione, ma esperto e intelligentissimo. I giocatori migliori, i numeri dieci, usano più la testa delle gambe, non devono avere un grande fisico. Questo vecchietto mette paura alla mafia. Giovanni gli vuole subito bene, come a un padre. Lo stima così tanto che vuole presentarlo a suo nipote, il figlio di Maria. Dice: "Tutti i giovani dovrebbero conoscere una persona come Antonino". E quando Antonino lascerà Palermo, a Giovanni, che non piangeva neanche da bambino, verranno le lacrime agli occhi. Antonino, per non correre rischi, va ad abitare nella caserma Cangelosi, la caserma della Guardia di Finanza.»

«Anche lui rintanato come un topo.»

«È una guerra, non si scherza. Con Giovanni, agli ordini di Antonino, ci sono altri magistrati coraggiosi, che studiano i movimenti del mostro, organizzano le indagini: Paolo, Giuseppe, Leonardo, Ignazio, Giacomo… Tutti con lo stesso coraggio e con lo stesso obbiettivo. Una squadra che segue lo stesso schema di gioco.»

«Come i Moschettieri che leggeva da ragazzo: uno per tutti, tutti per uno.»

«Bravo. Il centravanti, quello che concretizza il lavoro di tutta la squadra, quello che fa gli arresti e le perquisizioni, quello che si muove per le strade di Palermo, è un poliziotto che non sa neanche dove abita la paura. Sai quei poliziotti tosti dei telefilm americani? Anzi, meglio: quel commissario pelato della televisione che guardiamo sempre?»

«Montalbano sono...»

«Ninni era così. Aveva lo stesso spirito di Giovanni, la stessa voglia di giustizia. Per questo erano grandi amici. Si completavano bene: Giovanni più riflessivo, Ninni più irruento. Un po' come Inzaghi e Vieri, uno veloce, l'altro forte: due attaccanti che si integrano alla meraviglia e fanno un sacco di gol. Giovanni e Ninni sono così. Anche Ninni aveva lavorato a Trapani e anche lui si era punto con il carciofo locale. Una volta si era permesso perfino di fare una retata in un circolo di persone importanti e aveva portato in Questura certe signore dell'alta società tutte ingioiellate. Successe l'inferno. E infatti lo trasferirono subito... Ninni non guarda in faccia nessuno, neppure a Palermo. È lui, il centravanti Ninni, che segna i primi gol della vittoria. Agli inizi degli anni '80, il carciofo di Palermo comincia ad avvizzire: le foglie sono in lotta tra di loro, una cosca contro l'altra per ottenere il comando di Cosa Nostra. Ninni capisce che bisogna approfittare di quelle lotte.

Riesce a ottenere la collaborazione delle cosche perdenti che pur di vendicarsi, magari facendo arrestare i nemici, sono disposte a dare informazioni ai poliziotti. Strappa confidenze ai parenti dei mafiosi uccisi, gira di notte per i quartieri di Palermo alla ricerca dei covi dove sono nascosti i mafiosi da arrestare. Riesce a ricostruire la mappa della nuova organizzazione di Cosa Nostra, i motivi delle guerre tra le cosche. Giovanni partirà proprio da questo lavoro di Ninni per vincere la sua partita. Ninni ha un braccio destro di grande valore: il commissario Beppe. E poi c'è il sindaco.»

«Gioca anche il sindaco?»

«Gioca un ruolo fondamentale, Leoluca. Ti ho già detto come i politici, quelli che governano le città e la regione, possono dare un aiuto prezioso alla mafia: decidono chi deve costruire le case, le strade, chi deve gestire un parcheggio, chi deve riscuotere le tasse... In questa partita, il politico più importante di Palermo, il sindaco, sta dalla parte di Giovanni, contro il mostro. Anche Giovanni e Leoluca diventano amici. Fanno perfino una vacanza insieme in Russia. Ed è proprio Leoluca che sposa Giovanni e Francesca, in Comune.»

«Una bella cerimonia?»

«Non direi. Avvenne in gran segreto per ragioni di sicurezza. Solo Giovanni, Francesca, la mamma di Francesca, e i due testimoni: Antonino e un'amica di Francesca. Più il sindaco che ha celebrato il matrimonio. Ci fossero stati troppi invitati, sarebbe aumentato il rischio di attentati. Tutto segreto e velocissimo.»

«Un matrimonio da topi in trappola...»

«Un matrimonio da tempi di guerra. Ricorda l'Uomo Ragno: grandi responsabilità, grandi sacrifici... Bravi magistrati, poliziotti senza paura, un sindaco coraggioso: è una gran bella squadra, questo pool antimafia. Uomini di valore in tutte le zone del campo per accerchiare il mostro e metterlo in trappola. Palermo non ha mai avuto una squadra così forte.»

«Quanto dura la partita?»

«La fase più spettacolare dall'82 all'86. E si conclude con un gol di Giovanni che nessuno potrà mai dimenticare. Sosta, gelato?»

«Sì, ma continua a raccontare, papà.»

Parcheggiammo in centro. Presi un cono limone e pistacchio in un chioschetto, papà una granita alla menta. Proseguimmo a piedi.

«L'uomo-partita arriva dal Brasile.»

«Come Ronaldo. I brasiliani sono grandi calciatori.»

«Sì, ma don Masino è nato a Palermo e da giovane ha fatto il giuramento con il santino bruciato nelle mani per la famiglia di Porta Nuova, non lontano da dove è nato Giovanni.»

«E cosa ci fa in Brasile?»

«Don Masino in passato è stato un potente capo mafioso. Più volte incriminato e arrestato, in Italia, Stati Uniti e Brasile, per traffici illeciti che gli hanno messo in tasca un bel po' di soldi. Lo chiamavano il boss dei Due Mondi.»

«Come Garibaldi.»

«Garibaldi era l'eroe dei Due Mondi. Quando agli inizi degli anni '80, come ti ho detto, scoppia la guerra tra le cosche di Palermo, una guerra selvaggia che riempie di sangue le strade, don Masino preferisce ritirarsi in una grande fattoria di San Paolo, in Brasile, con la moglie e i figli. Fa il commerciante di legname. Vende gli alberi abbattuti della foresta. Lontano. Al sicuro. Ma per sua sfortuna lo va a trovare l'amico sbagliato: Gaetano.»

«Perché sbagliato?»

«Perché Gaetano è odiato dalla foglia di carciofo più feroce di Palermo, quella di Corleone, che sta vincendo la guerra tra le cosche. Il braccio destro del capo dei corleonesi è quell'animale che scioglierà nell'acido il piccolo Giuseppe. Sono i più feroci. I corleonesi vengono a sapere che don Masino ha incontrato Gaetano in Brasile e pensano che i due stiano organizzando una guerra contro di loro. Poco dopo, Antonio e Benedetto, due figli di don Masino che vivono a Palermo, spariscono. Non li ritroveranno mai più.»

«Lupara bianca?»

«Lupara bianca. Come con Giuseppe: per punire il padre, colpiscono i figli. E non è finita. Il 26 dicembre del 1982, un ragazzo entra nella pizzeria New York Place, vicino al Parco della Favorita, e chiede sei pizze da portar via. Mentre le pizze sono nel forno, il ragazzo esce e rientra con un mitra: spara su tutto ciò che si muove. Muoiono tre persone: sono tre parenti di don Masino. Tre giorni dopo due giovani entrano in un negozio di vetri e cristalli in via delle Alpi, chiedono di vedere alcuni oggetti, poi si mettono a sparare: restano a terra Vincenzo, il fratello di don Masino, suo figlio Benedetto e un sacco di vetri rotti. In quell'inverno i feroci corleonesi fanno una strage dei familiari di don Masino.»

«E don Masino non fa niente per vendicarsi?»

«Vorrebbe, ma sa che i corleonesi sono troppo potenti, ha paura che presto vengano a uccidere anche lui. È qui che Giovanni ha l'idea che gli fa vincere la partita: offrire protezione a quell'uomo in pericolo, proporgli l'opportunità di vendicarsi attraverso la legge, in cambio di informazioni preziose su Cosa Nostra.»

«Ma gli uomini d'onore non hanno l'obbligo dell'omertà? *Nun lu sacciu...*»

«Sì, ma quell'uomo è ormai anziano, è stanco di combattere, ha fatto scorrere tanto sangue e ora ha visto scorrere quello dei suoi figli e di tanti suoi parenti. Vuole vedere puniti i mostri che hanno sterminato la sua famiglia. Giovanni capisce che si può fare breccia nel cuore ferito di un uomo tanto importante. Il silenzio è sempre stato il grande muro che ha protetto il mostro. Giovanni capisce che se riuscirà a far cadere quel muro, per la prima volta, sarà molto più facile catturare il mostro.»

«E ci riesce?»

«Nel luglio dell'84 don Masino sbarca all'aeroporto di Roma, scortato da una decina di poliziotti in borghese: è imbacuccato in una coperta, ha gli occhiali da sole sul naso. Per non farsi riconoscere da chi lo vuole uccidere, si è fatto cambiare perfino i lineamenti del viso da un chirurgo sudamericano.»

«Come fanno le donne quando invecchiano?»

«Più o meno. Ora don Masino ha un'altra faccia: sembra un indio. Un indio malato: è molto pallido. Sta male perché qualche giorno prima ha tentato di uccidersi.»

«Perché?»

«Per proteggere la moglie e i figli che gli sono rimasti. Pensa: morto io, i corleonesi la smetteranno di perseguitare i miei familiari. I mafiosi considerano il suicidio, come l'omertà, un gesto da vero uomo, una prova di coraggio. Don Masino portava sempre con sé una fialetta di veleno: la beve. Ma viene salvato in tempo dai poliziotti brasiliani che lo hanno arrestato. Allora decide di proteggere i suoi in un altro modo, con l'aiuto della legge. Il 16 luglio 1984, in una stanza della

Criminalpol del Lazio, don Masino comincia a parlare. La sua confessione inizia così: *"Sono stato un mafioso e ho commesso degli errori. Nell'interesse della società, dei miei figli, dei giovani, sono pronto a dire tutto quello che so a proposito di quel cancro che ha nome mafia, affinché le nuove generazioni possano vivere in un mondo più degno e più umano"*. Vedi? Anche lui, nel momento in cui si pente, pensa ai giovani, come Rocco, che andava a parlare nelle scuole: sono due persone molto diverse, ma sanno tutti e due che il mostro può esser sconfitto solo da chi non accetta la sua legge ingiusta, fin dall'inizio. È da piccoli che bisogna cominciare a dire no alla mafia.»

«Ma papà, come si fa a essere sicuri che un uomo che è stato un mafioso dica cose vere? Magari dà informazioni false, solo per farsi proteggere.»

«È possibile, certo. Infatti Giovanni controlla ogni informazione, cerca prove da altre fonti, e si rende conto subito che don Masino dice cose vere. E molto importanti, soprattutto. Quel pentito permette alla squadra di Giovanni di capire come funziona davvero la mafia: le sue regole, la sua organizzazione, il modo di reclutare nuovi soldati, il giuramento, tutto... Come ha detto Giovanni: don Masino è stato come un professore di lingue che ti permette di andare dai turchi senza parlare a gesti. Capisci? Gli insegna la lingua della mafia. Quel pentito, con tutte le sue rivelazioni, dà a Giovanni le chiavi per entrare nella tana del mostro, per studiare come vive, come si nutre e come si muove.»

«E cosa vede Giovanni nella tana del mostro?»

«Una cosa soprattutto: che il mostro ha tante teste, ma è un mostro solo. È questo che vuole dimostrare al processo contro la mafia. Uccidono qualcuno? Mettono una bomba in un negozio? Sparano a un giornalista? Fanno fuori un prete? Episodi di delinquenza, dicono tutti. Come ne succedono in ogni parte del mondo. Tutti pronti a giurare: a Palermo la mafia non esiste. E invece Giovanni vuole dimostrare che Palermo è nelle mani di un mostro solo che organizza tutte le attività illecite. Palermo è un carciofo solo e tutte le sue foglie sono collegate tra loro. Un carciofo perfettamente organizzato, come è organizzato lo Stato italiano: a Palermo c'è una legge giusta contro una legge ingiusta. Per dimostrare questo, il pool antimafia si mette al lavoro, guidato dalle indicazioni di don Masino e di altri mafiosi pentiti come lui. La squadra di Giovanni deve raccogliere prove per arrestare i mafiosi sospetti e portarli al processo in tribunale: questa è la partita che nessuno a Palermo ha mai osato giocare così all'attacco. Vuoi vedere un'azione spettacolare?»

«Racconta.»

«Giorno di San Michele, 29 settembre 1984, quindi pochi mesi dopo le prime confessioni di don Masino. Mattino presto, prestissimo, all'alba: trecento poliziotti e carabinieri si buttano per le strade di Palermo e in poche ore arrestano decine di mafiosi nel loro letto. Li portano subito all'aeroporto e li caricano su un aereo che li trasferisce nelle carceri del Nord Italia, più sicure di quello di Palermo. Molti mafiosi sfuggono all'arresto, ma il mostro per la prima volta ha paura del suo avversario. Capisce che la squadra di Giovanni vuole andare in fondo. E se ne rende conto definitivamente quando vengono arrestati Vito, l'ex sindaco di Palermo, e due cugini molto rispettati in città, Ignazio e Nino.»

«L'ex sindaco?»

«Sì, capisci? Come scoprire che il preside divide i soldi con Tonio. Il sindaco Vito ha permesso alla mafia di costruire case in tutta Palermo, lo chiamavano il padrone di Palermo. I due cuginetti invece erano soprannominati i Viceré: guadagnavano con le tasse che pagavano i siciliani onesti. Tre persone perbene, molto riverite dalla gente, insospettabili, finite ora con le manette ai polsi. Per la città fu uno scandalo. Per il mostro, una sconfitta pesante: mai era stato ferito a quel modo. E quando un mostro è ferito si riempie ancora più di odio bestiale.»

«Vuole sgambettare gli avversari.»

«Ninni, il poliziotto tosto senza paura, il Montalbano di Giovanni, viene sgambettato il 6 agosto 1985 da duecento colpi di *kalashnikov*.»

«Duecento?»

«Il *kalashnikov* è una mitraglietta russa che può sparare fino a seicento colpi al minuto. In quei duecento colpi c'è tutta la rabbia selvaggia del mostro, che è stato scovato, ferito e sta per essere messo in gabbia. Pochi giorni prima, la mafia aveva ucciso il suo braccio destro, il commissario Beppe. Nel giro di poche ore sono stati eliminati i due coraggiosi attaccanti della squadra di Giovanni. È un momento difficilissimo della partita. Pensa: dopo la morte di Ninni, la metà dei poliziotti di Palermo chiede di abbandonare la Sicilia.»

«Scappano?»

«Vogliono andarsene a lavorare da un'altra parte. Chi non ha paura, dopo aver visto tutti i morti che il mostro ha lasciato per strada?»

«Ha paura anche Giovanni?»

«Probabilmente sì, ma non ci pensa nemmeno a scappare. Continua a lavorare con i suoi collaboratori, sempre in posti diversi, per evitare attentati. Bisogna scrivere tutte le prove raccolte contro i mafiosi da processare e tutte le loro colpe. Tanti di quei fogli sono stati riempiti, ad esempio, sul tavolo da ping pong della villa del magistrato Giuseppe, a Mondello. Di notte, nella sua casa bunker di via Notarbartolo, Giovanni mette sul tavolo le fotocopie degli assegni dei mafiosi: li sposta, li studia come si fa con le tessere dei puzzle da mettere insieme.»

«Perché gli assegni?»

«È stata un'altra sua grande idea: partire dai soldi per scoprire i crimini commessi. Nessuno aveva mai osato curiosare nelle banche del mostro. Se tu svuoti le tasche di Tonio e gli chiedi dove ha preso quei soldi, arriverai ai compagni di classe che ha derubato. Più o meno quello che fa Giovanni. Un giorno però Antonino viene a sapere dai mafiosi finiti in carcere che è partito l'ordine di "sgambettare" tutta la squadra di Giovanni e dice: "Ragazzi, è meglio che per un po' andiate a lavorare lontano da Palermo". E così Giovanni e Paolo, l'amico magistrato con cui collabora sempre più strettamente, passarono alcune settimane con le famiglie su un'isola della Sardegna.»

«Al mare?»

«No, in carcere. Nella prigione dell'isola Asinara, che garantiva una buona protezione dagli attentati. Prova a pensare com'è strana la situazione: Giovanni e Paolo che combattono per la giustizia sono a lavorare in carcere, lontano da casa, mentre i mafiosi più pericolosi, quelli che sciolgono i bambini nell'acido sono liberi di dormire nel loro letto... Finché il mostro è vivo, Palermo resterà sempre una città capovolta, dove le cose funzionano al contrario. Per questo Giovanni, anche se magari ha paura, non smette mai di combattere. E alla fine la sua squadra riesce a completare il lavoro.

La prima grande vittoria arriva l'8 novembre 1985: il pool antimafia deposita tutti i fogli che ha riempito in questi mesi, tutte le prove raccolte, tutte le accuse al mostro. È un quadernetto che faresti fatica a mettere nello zaino: seicentomila pagine...»

«Seicentomila!?»

«Già. La squadra del nostro Giovanni si è data parecchio da fare... Quelle seicentomila pagine dicono che quattrocentosettantaquattro uomini d'onore dovranno presentarsi in un'aula del tribunale per difendersi dall'accusa di mafia.»

«Un mostro da quattrocentosettantaquattro teste?»

«Un mostro che Giovanni ha messo in gabbia, qua dentro.»

Alzai la testa: eravamo arrivati al Palazzo di Giustizia di Palermo, in piazza Vittorio Emanuele Orlando.

Il mostro è in gabbia!

Il Palazzo di Giustizia di Palermo è un grande scatolone, fatto di marmo e di cemento, con una lunga scalinata davanti. Ai lati della scalinata ci sono due specie di scivoli. Chiesi a papà a cosa servivano e lui rispose: «Guarda.»

Proprio in quel momento stavano arrivando tre auto blu a forte velocità, con i lampeggianti accesi: salirono sullo scivolo e si fermarono proprio davanti alla porta del Palazzo. Dalla prima e dalla terza auto scesero dei ragazzi con una mitraglietta in pugno che si guardarono intorno; dalla seconda scese qualcuno che però non riuscii a vedere perché entrò come un razzo nel tribunale.

«Visto? Gli scivoli servono ai giudici per arrivare il più possibile vicino alla porta d'ingresso e limitare così il rischio di attentati. Li hanno costruiti durante la grande guerra contro il mostro, quando questo palazzo è diventato un bunker, una specie di fortino blindato. Tanti lo chiamo il Palazzaccio, *U palazzu*, in dialetto.»

«Il fortino di Giovanni e della sua squadra?»

«Sì, qui è stata studiata ogni mossa della battaglia contro il carciofo e qui è stato messo in gabbia. Ma come ti ho detto questo è stato anche il fortino del mostro, perché qui per tanti anni gli uomini d'onore entravano e uscivano senza essere condannati. Per i mafiosi, frequentare le caserme degli sbirri, cioè dei carabinieri o dei poliziotti, è sempre stata un'infamia, ma entrare in questo palazzo no. Lo hanno sempre considerato una specie di posto di lavoro, come un mercato o una fiera, dove si possono fare buoni affari. Il salone che c'è oltre quella porta, al mattino, è pieno di gente come una piazza di paese alla domenica. C'è da divertirsi a restare a guardare. Puoi indovinare tutto dai vestiti.»

«Cioè?»

«I ragazzi con i jeans e la borsa a tracolla sopra la maglietta sono le guardie che proteggono i giudici. In quella borsa tengono una pistola di grosso calibro: di solito una Magnum 357. I mafiosi si presentano con vestiti molto costosi ma di pessimo gusto, che piacerebbero solo a te... Camicie colorate, orribili, catene d'oro al collo... Quelli vestiti più eleganti invece sono gli avvocati che li difendono: impeccabili giacche di lino d'estate, di lana d'inverno. Poi ci sono certe vecchiette tutte vestite di nero, accompagnate da vecchietti che non parlano mai: sono i parenti dei mafiosi arrestati o di quelli uccisi. In questa fiera gli uomini d'onore hanno sempre fatto ottimi affari. Ma un giorno Giovanni gliela fece pagare salatissima. Il mostro finì in gabbia. Uno spettacolo! Siediti.»

Mi sedetti su una delle panchine che ci sono accanto alla cancellata del Palazzaccio, mentre papà restò in piedi a raccontare davanti a me, gesticolando come un vero attore di teatro.

«Quel giorno è l'11 febbraio 1986. Si apre il maxiprocesso a Cosa Nostra. Giornali e televisioni lo chiamano così: maxiprocesso, perché è grande. È stata preparata un'aula apposta all'Ucciardone, il carcere di Palermo, un'aula bunker, blindata contro gli attentati; è gigantesca e i giornalisti scrivono che sembra un'astronave verde. In questa aula bunker, l'11 febbraio 1986, entrano tutti gli uomini d'onore che sono stati arrestati grazie alle indagini della squadra di Giovanni. Devono essere processati: i giudici diranno se sono colpevoli o innocenti. Sono duecentodieci e si accomodano in trenta gabbie-blindate. In altre tre gabbie vengono messi i pentiti, cioè i mafiosi che hanno aiutato i giudici con le loro dichiarazioni. Centinaia di mafiosi ingabbiati nella stessa stanza, tutti sotto processo: Palermo non riesce a crederci. Mai successo. E il grande merito è di Giovanni. Gli indiani hanno fatto strage in città, lo sceriffo è partito a cavallo ed è tornato con duecento pellirosse legati alla sella, uno dietro l'altro. Quelli abituati a dire "A Palermo ci sono tanti delinquenti, come dappertutto, ma la mafia non esiste" non possono più farlo. Giovanni ha messo il mostro in gabbia per mostrarlo a tutti: guardate, il mostro esiste, ha una faccia e un corpo. Anzi, duecentodieci facce, osservatele in queste trenta gabbie; duecentodieci uomini d'onore che rappresentano tutte le foglie del carciofo di Palermo. Tutti questi signori hanno giurato fedeltà alla cosa versando una goccia del proprio sangue e poi, per fedeltà alla cosa, hanno versato il sangue dei nemici. Hanno fatto cose bestiali e come bestie sono finite in gabbia. Nessuno può più permettersi l'omertà o dire *nun lu sacciu*: il mostro è in gabbia davanti a tutti. Capisci l'importanza di quel giorno? Questa è la grande vittoria del nostro Giovanni, il suo gol più spettacolare. Volevano sgambettarlo e invece è arrivato fino in porta, come Maradona. Facci caso, che anno è?»

«1986. Se non sbaglio è l'anno dei Mondiali del Messico, quando Maradona segna quel magnifico gol all'Inghilterra.»

«I conti tornano… Ma a quel punto tanti dicono: bravo Giovanni, però non è la prima volta che qualche mafioso viene arrestato e processato. Vediamo se tutti questi uomini d'onore verranno davvero condannati e finiranno in carcere o torneranno a casa, magari per mancanza di prove, come è quasi sempre successo al Palazzaccio… Questa bella sceneggiata da telefilm finirà in una bolla di sapone e l'astronave verde volerà via con i suoi duecentodieci mafiosi perché loro sono di un altro pianeta…»

«Finisce così?»

Papà allargò le braccia e rimase zitto per alcuni

secondi. Una pausa studiata per aumentare la suspense. Sono figlio di un grande attore...

«La discussione nell'aula bunker tra i magistrati che accusano i mafiosi e gli avvocati che li difendono dura ventidue mesi. Poi i giudici si chiudono in una stanza per decidere la sentenza. Escono trentasei giorni dopo. Colpevoli o innocenti? All'uomo che deve leggere la decisione è cresciuta una lunga barba. È pronto, va al microfono, nell'astronave verde si alzano tutti in piedi: gli avvocati, i giudici popolari con la fascia tricolore, i mafiosi... Silenzio. Il giudice con la barba legge: "Condannato... condannato... condannato..." Una raffica di "condannato" come se li sparasse col *kalashnikov:* seicento "condannato" al minuto... Il mostro è stato giudicato colpevole ed è stato condannato a scontare, complessivamente, diciannove ergastoli, più duemilaseicentosessantacinque anni di carcere, più undici miliardi e mezzo di multa da pagare. Un bel po' di anni di prigione per ciascuna delle teste del mostro. A Palermo sembra di sognare... Non solo Giovanni ha messo il mostro in gabbia e ha dimostrato che tutta la malavita della città dipende da una organizzazione sola, non solo ha fatto vedere che il mostro è aiutato da persone ritenute per bene, come sindaci e politici, ma è riuscito anche a farlo condannare, quel mostro! Stavolta gli uomini d'onore non tornano a casa per mancanza di prove: stavolta vanno dritti in prigione. Non volano via con l'astronave, non sono di un altro pianeta o di un'altra legge. No: c'è una legge sola che vale per tutti gli italiani e questa legge ha deciso che il mostro ha sbagliato e va tenuto in gabbia. Non c'è la legge di Tonio e quella della maestra: no, vale solo la legge della maestra e Tonio paga per i suoi furti e per le sue prepotenze. È questo il grande gol di Giovanni, che fa vincere anche Rocco, Carlo Alberto, Ninni, Beppe e tutti quelli che sono morti durante la partita, giocando con coraggio. Ma c'è un gol ancora più importante.»

«Quale?»

«Quel giorno, nell'astronave verde, ci sono anche cinquecento giornalisti arrivati da tutto il mondo per seguire il maxiprocesso alla mafia. I giornalisti raccontano al mondo che Palermo, abituata a vivere nella paura del mostro, ha trovato finalmente il coraggio per combatterlo e sconfiggerlo. Scrivono che Palermo ha rialzato la testa.

Grazie a Giovanni e alla sua squadra, ora ci guardano con occhi diversi: non siamo tutti mafiosi, siamo anche gente che lotta contro la mafia. È un gran giorno per la nostra città.»

«Come se il Palermo vincesse lo scudetto?»

«Di più: lo scudetto moltiplicato per mille. La vittoria dello scudetto dà solo gioia, la vittoria di Giovanni dà molto di più: dà speranza. Per la prima volta Palermo può sperare di avere un giorno case più belle, costruite da chi se lo merita; potrà aprire negozi senza la paura che saltino in aria; potrà avere un mare pulito, senza cadaveri sul fondo; potrà vivere senza la mafia, con una legge sola, una legge giusta, che vale per tutti. Ricorda quel vocabolario: 1868. Da allora a oggi, mai siamo stati così fiduciosi di poter battere il mostro, una volta per tutte, come quando Giovanni lo ha messo in gabbia e lo ha fatto condannare in un'astronave verde.»

Grande, Giovanni! Adesso ci siamo, questa sì che è una grande storia! Volevo vederlo finir male, questo mostro capace di sciogliere un bambino come un'aspirina. Ergastolo vuol dire passare tutta la vita in prigione, giusto? Bene: diciannove vite in prigione, più altri duemilaseicentosessantacinque anni di carcere mi sembrava la pena giusta per un mostro del genere. Grande, Giovanni! Adesso che lo vedevo finalmente come un eroe, potevo anche perdonargli quel passato da secchioncello che non piangeva mai... Anzi, Giovanni è molto meglio di un supereroe americano che può sparare ragnatele dai polsi, volare, respingere i proiettili, togliersi la maschera e poi fare una vita normale. Giovanni è un uomo normale come me che per vincere ha dovuto rintanarsi come un topo, nuotare di notte da solo in una piscina, sposarsi come un ladro, rinunciare al cinema, al ristorante. E forse anche a una mamma.

Roma e la supermacchina da guerra

«La storia finisce così?»

Papà si era messo a sedere sulla panchina vicino a me: «Purtroppo no.»

«Il mostro si vendica?»

«Il mostro è ridotto male e non solo perché è finito in gabbia. Giovanni, con le sue inchieste nelle banche, ha sequestrato tanti soldi guadagnati in modo illecito dalla mafia e ha interrotto tante attività sporche. La mafia è un mostro che vive nutrendosi di soldi e di sangue. Giovanni l'ha messa in ginocchio. Ora il mostro è meno libero e più povero. Non si è mai trovato così in difficoltà. Ma la mafia vive da secoli, ha la saggezza dei vecchi, sa come va il mondo, sa che bisogna aspettare che passino i momenti difficili e poi rimettersi in piedi. C'è un proverbio siciliano che dice: *Calati juncu ca passa la china,* "Piegati giunco che passa la piena". In attesa che passi la piena, cioè il momento difficile, il mostro prepara la sua vendetta, che non è fatta solo di bombe, ma anche di calunnie, accuse anonime, sospetti. Le parole possono ferire più dei proiettili, e se ne possono sparare anche più di seicento al minuto. La lingua non va ricaricata, è anche meglio di un *kalashnikov.*»

«Quali parole, papà? Non capisco.»

«Dopo il grande processo si comincia a dire che Giovanni si esalta troppo, che si dà arie da fenomeno, che gioca a fare il grande sceriffo, che ha messo in scena quel processone solo per protagonismo, che pensa solo alla carriera, che va al Maurizio Costanzo Show come un divo del cinema…»

«Ma se Giovanni al cinema non ci può neanche entrare! E chi le dice queste bugie? Qualcuno con C.N. sul berretto, ma nel senso di cretino nazionale…»

«Un po' tutti. La mafia è ben contenta che questi discorsi circolino, perché vuole isolare Giovanni, cerca di togliergli i consensi e gli appoggi. Non vuole che la gente lo guardi come un eroe da aiutare. E in parte ci riesce. Basta un esempio per farti capire. Un giorno una signora scrive una lettera e la spedisce al *Giornale di Sicilia* che la pubblica. La signora abita vicino alla casa di Giovanni e si lamenta perché ogni giorno l'elicottero e le macchine della scorta fanno un gran baccano. Chiede: perché questi signori non vanno ad abitare in villette isolate, fuori città? Così se gli tirano una bomba, non muoiono persone "senza ragione" come il portinaio di Rocco. Capisci? "Senza ragione" scrive. Come se invece ci fosse una ragione per uccidere Rocco e Giovanni. Come se loro se lo meritassero, perché hanno dato fastidio alla mafia e hanno fatto rumore con gli elicotteri. Capisci? Giovanni rischia la pelle ogni minuto e vive come un topo anche per quella signora, per difenderla e regalarle una città migliore, e invece lei prende carta e penna e si lamenta perché Giovanni fa troppo baccano. E il giornale, invece di buttare nel cestino quella stupida lettera, la pubblica.»

«Fossi stato in Giovanni, ogni mattina avrei tirato dei petardi nella finestra di quella signora…»

«Capisci? C'era chi vedeva Giovanni come un seccatore. Anche persone importanti. Qualcuno si lamentava perché, per colpa delle azioni di Giovanni, si parlava troppo di mafia e così si faceva cattiva pubblicità a Palermo e alla Sicilia. Si preoccupavano per i turisti che potevano spaventarsi e non venire più da noi a spendere soldi... La verità è che allora ben pochi capirono la grande importanza di ciò che stava facendo Giovanni. Pochi si accorsero del suo grande valore. Ed era esattamente ciò che voleva il mostro.»

«Ma se lo capisco io che ho dieci anni...»

«Non dimenticare quello che ti ho detto prima: viviamo in una terra abituata alla mafia da così tanto tempo che quasi non la sentiamo più come un'ingiustizia. Per quella signora che ha scritto al giornale, Giovanni fa una battaglia inutile, come far guerra alle zanzare che tanto ogni estate tornano sempre. Ti faccio un altro esempio. Poco prima dell'inizio del maxiprocesso, un gruppo di disoccupati sfila per le vie di Palermo. Tra i mafiosi che entreranno nelle trenta gabbie, ci sono anche i proprietari di alcuni cantieri che sono stati chiusi dagli sbirri. I muratori che hanno perso il posto di lavoro marciano per la città in segno di protesta, e sai cosa gridano?»

«No.»

«"Mafia, mafia, mafia!" Così. "Mafia, mafia, mafia!" Come allo stadio. Fanno il tifo per il mostro. Capisci? Per loro il nemico è Giovanni, che ha chiuso i cantieri dei criminali. E infatti Giovanni una volta lo disse chiaro, con tanta amarezza: "Noi che combattiamo per la giustizia siamo i peggiori nemici della Sicilia..." Come ti dicevo prima: Palermo è una città capovolta. Esattamente come vuole la mafia. E le critiche non gli arrivano solo da vicini di casa o da sconosciuti, anche dai suoi amici. Da Leoluca, per esempio.»

«Dal sindaco? Il grande amico che è andato in Russia con lui?»

«Sì, poco a poco la loro amicizia si guasta. Cominciano ad avere idee diverse. Leoluca si mette a criticare la sua ex squadra, dice che il pool antimafia poteva giocare meglio, fare più gol, e sospetta che qualche gol lo abbia sbagliato apposta. Cioè poteva arrestare altri mafiosi importanti, ma non lo ha fatto e ha tenuto nel cassetto le prove contro di loro. Così dice Leoluca: "Alcune carte sono rimaste nei cassetti". Non fa il nome di Giovanni, ma Giovanni è l'anima di quella squadra. È come dire che sta dalla parte del mostro. Capisci? Giovanni ci rimane malissimo.»

«Ci credo. È brutto, quando un amico ti tradisce.»

Papà si voltò e indicò il Palazzaccio. «Anche qui dentro gli fanno guerra. Quando il vecchio Antonino si ritira, sembra scontato che debba essere Giovanni a sostituirlo. È lui quello che ha più esperienza e che più ha lottato contro la mafia. È logico che sia lui a diventare il capo. Lo pensano tutti. Invece viene eletto un altro. Ormai Giovanni è un magistrato famoso, molto stimato dagli agenti americani della FBI, anche loro in lotta contro la mafia. Spesso si scambiano informazioni. Tanti colleghi di Giovanni sono invidiosi dei suoi successi e della sua popolarità. Nei corridoi del tribunale dicono che Giovanni pensa solo alla carriera, che ha manie di protagonismo, che fa tutto di testa sua, senza rispettare le regole… Accuse false, però intanto circolano. Come si dice: il carbone, se non tinge, sporca. Cattiverie del genere e calunnie peggiori arrivano anche per posta. Un tizio comincia a spedire qua e là delle lettere che parlano male di Giovanni, senza firmarle. Le chiamano le lettere del corvo.»

«Il corvo?»

«Sì, l'uccellaccio nero del malaugurio. Ricapitoliamo la situazione: vicini di casa, muratori disoccupati, amici, colleghi e pure un corvo... Giovanni ha appena vinto una grande battaglia contro il mostro, dovrebbe essere visto come un eroe...»

«Dovrebbero portarlo in processione per le strade di Palermo come Santa Rosalia.»

«Infatti. Dovrebbero almeno aiutarlo a portare avanti la sua guerra e invece si trova contro tutti. Non ti sembra assurdo?»

«Come nel film dell'Uomo Ragno. Ricordi, papà? Arresta i banditi che assaltano le banche, salva un po' tutti e a un certo punto si ritrova odiato dalla gente e ricercato dalla polizia.»

«È proprio quello che vuole la mafia: isolarlo per indebolirlo. Questa è la prima mossa. La seconda è molto più diretta: le bombe. Nel giugno dell'89 Giovanni è nella sua villa all'Addaura, si riposa. Ricordi che stamattina a Mondello ti ho indicato degli scogli lontani? Un sub arriva in silenzio fino a quegli scogli e lascia una borsa con dentro cinquantasette candelotti di dinamite. I mafiosi dovevano farli esplodere con un comando a distanza, come avevano fatto per l'autobomba che aveva ucciso Rocco. Quei cinquantasette candelotti avrebbero disintegrato qualsiasi cosa nel raggio di cinquanta metri.»

«E invece?»

«E invece, per fortuna, un agente del servizio di sicurezza si accorge di quella borsa, della muta da sub e delle pinne che il mafioso ha lasciato tra gli scogli. Arrivano gli artificieri che disinnescano la bomba. Per questa volta è andata bene, ma Giovanni si spaventa molto: non tanto per sé, quanto per Francesca. Capisce il pericolo che ha corso. La fa andare via. Per un po' non dorme neppure con lei: è un modo per proteggerla. Francesca vorrebbe restargli sempre vicino, ma capisce la situazione. Sposando Giovanni, Francesca ha accettato una vita di rinunce e di sacrifici. Giovanni è un uomo che non può dormire con sua moglie, è un papà che non può avere figli. Lui un giorno lo ha spiegato a Francesca: "Non possiamo mettere al mondo degli orfani". Capisci? Sapeva che poteva essere ucciso da un momento all'altro. Ti ricordi il giuramento del mafioso? "Proteggere le vedove e gli orfani..." No, è vero il contrario: la mafia produce orfani e vedove. Qualche giorno dopo l'attentato all'Addaura, un amico va a trovare Giovanni: è notte, ma sembra giorno perché la villa, il giardino e il tratto che porta al mare sono illuminati da fari potenti per evitare altri attentati. Le luci attirano un sacco di zanzare. L'amico trova Giovanni in calzoncini e zoccoli, seduto da solo sulla terrazza. Ha la pistola sul tavolino e guarda il mare, come se una grossa piovra dovesse emergere da un momento all'altro per attaccarlo. Giovanni sta pensando di lasciare Palermo.»

«Ma così sembra che scappi perché ha paura.»

«Non scappa. Ha capito che a Palermo non può più lavorare, gli stanno creando troppi ostacoli. E non solo la mafia, come hai visto. Gli propongono di andare a Roma.»

«A Roma?»

«Sì, a Roma, al Ministero di Grazia e Giustizia. Lavorerà per il governo, aiuterà le persone che devono fare le leggi a studiare quelle che servono contro la mafia. Per tanti anni ha combattuto il mostro da vicino, ha parlato con mafiosi pentiti come don Masino, conosce il nemico meglio di chiunque altro: può mettere a disposizione la sua esperienza, in modo che la sua tattica diventi la tattica di tutti. Un po' come i calciatori che dopo una lunga carriera diventano allenatori: prima vincevano le partite, ora spiegano come si fa a vincerle. Ecco, a Giovanni succede la stessa cosa. Ormai ha più di cinquanta anni, un'età da allenatore. In campo o in panchina, la partita da vincere è la stessa. Anzi, spesso l'allenatore è più importante dei giocatori. Così una sera Giovanni entra qui, nel suo ufficio, e riempie alcuni scatoloni con tutte le sue cose: la sua collezione di penne stilografiche, le papere di ceramica e di cristallo che sono una sua passione, i gagliardetti che gli sono stati regalati dalle polizie di tutto il mondo. Giovanni è in tuta da ginnastica grigia, con la scritta FBI sulla schiena: un regalo dei suoi amici americani. Prende i suoi scatoloni e lascia il Palazzaccio. Non lo lascia da sconfitto, sia chiaro. Qui dentro Giovanni ha messo in gabbia il mostro.»

«Gli dicono di lasciare il campo di battaglia mentre sta vincendo e lui risponde: "Obbedisco". Come Garibaldi.»

«Un po' è così.»

«Ma Roma non è troppo lontana, papà?»

«Pensa a un arco. Per scagliare la freccia devi tirare indietro la mano che tiene la corda. Giusto? Più allontani quella mano dal bersaglio, più la freccia andrà lontano. Spesso da lontano si vedono meglio le cose e si prende meglio la mira. A Roma Giovanni può fare ciò che non gli lasciavano più fare a Palermo. E poi, allontanandosi da Palermo, Giovanni può finalmente tornare a vivere come uomo, anche se scortato e con mille precauzioni. Alla sera infatti riscopre il piacere di cenare al ristorante con un amico, a Trastevere o Campo de' Fiori, dove ci sono stradine bellissime. Ogni tanto va a casa di qualche collega, a una festa conosce perfino Renzo Arbore, quello che suona il clarinetto in tivù. Va anche all'Auditorium di Santa Cecilia ad ascoltare un po' di musica. Un giorno un collega gli chiede un passaggio per il Ministero e lui passa a prenderlo in piazza Barberini con una 127 azzurrina mezza scassata. Da solo, senza scorta. Il collega lo guarda a bocca aperta. Giovanni scoppia a ridere. Prova a immaginare la sua felicità in quel momento: si sente finalmente un uomo normale, non più un topo che va a lavorare scortato da elicotteri e auto blu con le sirene che urlano e spaventano la gente. Sta andando a lavorare da solo, come un impiegato qualunque, su un'auto azzurrina mezza scassata, attraverso una città bellissima, percorrendo strade piene di gente che parla e sorride tranquilla. Giovanni arriva a Roma nel marzo del '91, si mette subito a lavorare tantissimo, ma quei primi mesi, lontani dai veleni del Palazzaccio e dai candelotti di tritolo, sono un periodo di grande serenità per lui. Fa molti viaggi di lavoro, soprattutto dai suoi amici americani dell'FBI, che lo considerano un grande investigatore, si è appassionato al nuovo incarico. È allegro, scherza sempre, ha una collega che di cognome fa Pomodoro e lui la chiama sempre Tomato o Salsa... È una bella primavera che lo fa rinascere. Anche se sa benissimo che il mostro prima o poi verrà a cercarlo. Un giorno Giovanni, poco dopo l'attentato dei cinquantasette candelotti di dinamite, aveva detto alla sorella: "Maria, sono un cadavere che cammina".»

«Ma adesso è a Roma. È lontano e si diverte.»

«Una mattina Giovanni esce dal Ministero per prendersi un caffè. Nel bar di fronte riconosce una faccia conosciuta: quella dell'assassino di un capitano dei carabinieri di Palermo. Cosa ci fa un killer della mafia a Roma, nel bar di fronte all'ufficio di Giovanni?»

Papà si alzò dalla panchina e mi tese una mano, che afferrai per rimettermi in piedi.

«Andiamo a vedere come finisce la storia» disse.

Non mi piaceva come stava finendo.

La collina del maiale

Tornammo alla macchina e ci ributtammo nel solito gran traffico di Palermo. Poi svoltammo seguendo l'indicazione dell'aeroporto di Punta Raisi.

«Te lo dico io perché il polipone allunga i suoi tentacoli fino a Roma. Perché Giovanni sta costruendo una grande macchina da guerra per combattere la mafia, la più grande macchina da guerra che sia mai stata congegnata. L'ha battezzata Superprocura. Sarà una macchina super. E la mafia lo sa.»

«Una macchina da guerra?»

«Sì. Giovanni sta organizzando una nuova squadra, attrezzatissima, per tornare in campo e giocare la partita definitiva contro Cosa Nostra, dopo la grande vittoria del maxiprocesso.»

«Un'altra squadra come quella di Rocco, Ninni, Beppe e gli altri?»

«Una squadra ancora più grande, con più poteri e più armi a disposizione. Una vera Nazionale antimostro. Giovanni è a Roma, dove si fanno le leggi. Può studiare quello che si deve fare per aiutare i magistrati che devono fare le inchieste nelle banche come faceva lui, per convincere gli uomini d'onore a pentirsi e a collaborare, per incoraggiare i negozianti a denunciare i mafiosi che ogni mese chiedono i soldi e minacciano con le bombe. Immagina un generale nella sua tenda che studia il piano della battaglia, o un inventore nel suo studio che stringe i bulloni di una potentissima macchina da guerra appena inventata: Giovanni a Roma è così. La mafia lo sa e cerca ancora una volta di sgambettarlo. In due modi, come aveva fatto a Palermo, uno diretto e uno più sottile: studiando un attentato e creando polemiche attorno al suo nome.»

«Anche i vicini di casa di Roma si lamentano che Giovanni fa troppo baccano?»

«No, quello no. Ma anche a Roma si comincia a dire che Giovanni pensa solo alla carriera, che fa di tutto per mettersi in evidenza, che va in televisione più di Mike Bongiorno... Le solite voci messe in giro dagli invidiosi, ma che ai mafiosi fanno molto comodo. E come a Palermo non gli hanno permesso di prendere il posto di Rocco, così a Roma fanno di tutto per impedirgli di dirigere la Superprocura.»

«Ma è stupido! Nessuno può guidare una macchina da guerra meglio di chi l'ha inventata...»

«Hai ragione, sono d'accordo con te. Ma la mafia ha tanti amici anche a Roma, perfino nei palazzi dove si fanno le leggi. Amici molto importanti. I tentacoli del polipone arrivano dappertutto. Giovanni ne ha un'altra conferma il giorno che si presenta a un convegno in un albergo di Roma. Arriva e al posto dove deve sedersi trova un biglietto minaccioso.»

«Cosa c'è scritto?»

«Non è importante. Ciò che conta è che nonostante la scorta e le grandi misure di sicurezza, qualcuno è riuscito ad arrivare fino al posto di Giovanni. Così come qualcuno era riuscito ad arrivare fino alla villa dell'Addaura per sistemare cinquantasette candelotti di dinamite. Questo è il messaggio che conta: la mafia arriva dove vuole. E Giovanni lo sa benissimo. Sarà un caso, ma ogni sera che lascia il suo ufficio, la sua scrivania è sempre più ordinata. Lo raccontano le sue segretarie: si preoccupa di mettere tutto in ordine come non faceva prima.»

«Come fa chi sta per partire per un lungo viaggio?»

«Esattamente. Siamo al 23 maggio del 1992. È un sabato. Giovanni parte per Palermo. Avrebbe dovuto prendere l'aereo la sera prima, in modo da essere in Sicilia già il sabato mattina per la mattanza di Favignana. Sai cos'è la mattanza?»

«No.»

«È la pesca dei tonni. Vengono catturati da un sistema di reti che guidano i pesci in una specie di cerchio chiuso, fatto dalle barche dei pescatori: la camera della morte, dove i tonni vengono uccisi con le fiocine. È un rito antico, crudele, ma molto spettacolare. Giovanni avrebbe voluto vederlo, ma il lavoro lo aveva trattenuto a Roma e venerdì non era riuscito a partire. Così partì per Palermo solo il giorno dopo. Non sapeva che la mafia aveva preparato una mattanza speciale tutta per lui.»

«Dove?»

«Qui.»

Papà mise la freccia e posteggiò ai margini della strada, pochi metri prima del cartello verde che indicava l'uscita di Capaci, un paese a una decina di chilometri da Palermo.

«Totò, il boss di Corleone, quello che aveva vinto la guerra tra le cosche di Palermo, l'uomo più potente della mafia, decide di stendere qui le reti per catturare Giovanni.»

«Quello che ha fatto uccidere tutti i parenti di don Masino?»

«Quello. Il più feroce di tutti. Un giorno stava giocando a bocce con degli amici a Corleone, litigò, tirò fuori la pistola, ne uccise uno e ne ferì un altro. Era ancora un ragazzo. Parlo di più di cinquant'anni fa. Da allora non ha più smesso di uccidere. Totò u curtu, il piccolo, è diventato sempre più grande, cadavere dopo cadavere, fino a farsi eleggere capo dei capi, il re del carciofo, e ora ha deciso che a Palermo, in Sicilia, deve valere solo la legge del mostro. Vuole fare guerra allo Stato. Perciò ha ordinato l'eliminazione di Giovanni che è il nemico più pericoloso. Così nasce l'*attentatuni.*»

«*Attentatuni?*»

«Sì, l'attentatone, come lo chiamano gli uomini d'onore in dialetto. Il più grande attacco di Cosa Nostra a un uomo dello Stato. Mai la mafia ha puntato così in alto. Totò sceglie una decina dei suoi uomini migliori e li incarica di organizzare l'*attentatuni*. Scendiamo.»

Papà accese le quattro frecce e scendemmo dal gippone.

«Gli uomini scelti un giorno vengono qui e fanno come noi: scendono dalla macchina, camminano a bordo strada, si guardano attorno, e studiano come sistemare la dinamite che dovrà esplodere al passaggio di Giovanni. Scoprono un cunicolo, una specie di tunnel che corre sotto la strada. È quello che cercavano. Ma come fare ad accendere l'esplosivo? Studiano ancora la situazione e scelgono quella collinetta laggiù: la vedi?»

«Quella con le case?»

«Esatto. Decidono: uno si piazzerà là sopra e quando passerà l'auto di Giovanni schiaccerà il pulsante di un radiocomando e la dinamite sotto l'asfalto esploderà.»

«Come aprire il cancello del box da lontano col telecomando?»

«Proprio così. Ma non è un'operazione semplice, servono molte prove per metterla a punto. La banda di Totò prepara il radiocomando, che è grande come una scatola di scarpe, di plastica grigia, con un'antenna e una levetta da abbassare al momento giusto. Il segnale verrà ricevuto da una scatolina molto più piccola, spessa tre millimetri, collegata all'esplosivo. Per fare le prove, invece dell'esplosivo usano una lampadina.»

«Una lampadina?»

«Sì, come quelle dei flash delle macchine fotografiche. Collegano la lampadina alla scatolina piccola e la mettono nel cunicolo sotto la strada. Il mafioso sulla collina prova ad abbassare la levetta e la lampadina si accende: funziona. Ma non basta. Ora bisogna trovare il momento giusto per mandare il segnale. Fanno altre prove. Un mafioso passa in macchina, quello sulla collina lo segue con un binocolo e abbassa la levetta. I picciotti rimasti vicino al cunicolo con un telefonino chiamano il mafioso in collina: "Non va bene. Quando la lampadina si è accesa, la macchina era già passata. Devi abbassare la levetta un po' prima". L'auto torna indietro, fanno altre prove, altre telefonate tra di loro, e alla fine la lampadina si accende proprio nel momento in cui passa l'auto. Con della vernice fanno un segno su questo guardrail:

ora il mafioso in collina sa che quando l'auto di Giovanni arriverà a questo segno di vernice, dovrà azionare il radiocomando. Chiaro?»

«Credo di sì.»

«Cammina fino a quel cartello.»

Era un cartello stradale a una decina di metri dal nostro gippone. Papà controllò che non passasse nessuno e attraversò la strada. Poi si mise in piedi sul guardrail, dalla parte opposta della carreggiata.

«Tu sei Giovanni, io il mafioso in collina» urlò.

«Cammina verso la macchina.»

Camminai e appena arrivai all'altezza del gippone sentii il click delle portiere e vidi lampeggiare le luci della chiusura automatica che papà, in piedi sul guardrail, aveva fatto scattare. Riattraversò la strada.

«Chiaro? A questo punto, i corleonesi devono solo mettere l'esplosivo nel cunicolo e collegarlo alla scatolina piccola. Lo fanno di notte.»

«Quanto esplosivo?»

«Tanto da tirar giù una montagna... Cinque quintali di tritolo, suddivisi in bidoncini di plastica. Il cunicolo è molto stretto, manca l'aria. I primi mafiosi che ci entrano in ginocchio per sistemare i bidoncini rischiano di soffocare. Ma nella banda c'è un uomo d'onore che ha fatto il paracadutista. È quello che ha più resistenza. Ci pensa lui. Per spingere i bidoncini fino in fondo al cunicolo usa uno skateboard. A un certo punto, durante l'operazione, si ferma una macchina dei carabinieri. I mafiosi si nascondono qui, ai bordi della strada. I carabinieri scendono, forse hanno notato qualcosa di strano, forse hanno avuto notizia dell'*attentatuni*. I mafiosi, nascosti col *kalashnikov* in pugno, sono pronti a sparare: se verranno scoperti, faranno subito fuoco. Ma i carabinieri non scoprono il cunicolo, risalgono in macchina e si allontanano. I mafiosi tirano un sospiro di sollievo. Tutto è pronto. Ora bisogna solo aspettare il passaggio di Giovanni.»

«E come fanno a sapere quando passerà l'auto di Giovanni?»

«Sanno che torna spesso a Palermo, per lavoro e per far visita ai suoi parenti. Un picciotto viene incaricato di tenere sempre d'occhio l'auto della scorta palermitana di Giovanni. Quando si muoverà verso l'aeroporto, vorrà dire che Giovanni è sbarcato a Palermo. L'uomo che deve azionare il radiocomando resta sulla collina.»

«Tutti i giorni?»

«Tutti i giorni, dal mattino alla sera, in attesa della telefonata giusta. Che arriva quel sabato 23 maggio 1992: "La scorta è uscita con la sua auto blindata e ha preso la strada di Punta Raisi". La banda si mette in azione: due corrono al cunicolo e collegano la scatolina all'esplosivo; uno va in auto all'aeroporto; il mafioso della collina comincia a fumare una sigaretta dietro l'altra, con il radiocomando a portata di mano. Giovanni e sua moglie Francesca scendono dall'aereo e salgono sulla macchina bianca corazzata di Giuseppe, che è più di un autista, è un amico ormai: per otto anni ha guidato Giovanni per le strade di Palermo. Ma stavolta Giovanni vuole mettersi al volante: ha voglia di guidare. Francesca, che soffre un po' la macchina, si siede al suo fianco, così l'autista Giuseppe prende posto dietro. Davanti alla macchina bianca ce n'è una marrone e dietro una blu con gli uomini della scorta. Il piccolo corteo lascia l'aeroporto e si mette in marcia verso Palermo. Alle 17.42 il mafioso che era andato all'aeroporto in auto li vede passare e avvisa per telefono l'uomo in collina, che si prepara. Giovanni è di buonumore, è contento di rivedere la sua terra, il suo mare. Scherza con Giuseppe. Parlano della mattanza di Favignana. Doveva andarci anche Giuseppe. Il mafioso sulla collina vede le tre macchine in fondo alla strada, avvicina il dito alla levetta del radiocomando. Ogni volta che penso a quel momento, mi viene in mente lo stesso pensiero.»

«Quale, papà?»

Puntò il dito verso la collina: «Da quell'altezza si vede un panorama magnifico: il nostro mare, l'Isola delle Femmine, il golfo... Non c'è al mondo uno scenario più bello. Come fanno a venirti in mente pensieri cattivi davanti a tanta bellezza? Come puoi avere il coraggio di impedire a un altro uomo di vedere quello spettacolo per sempre? Come avrà fatto quell'uomo a spingere la levetta? Forse ha chiuso gli occhi. Ma una bestia che avrà il coraggio di sciogliere nell'acido un bambino con cui ha mangiato insieme per settecentosettantanove giorni non ha di questi problemi...»

«Vuoi dire che il mafioso sulla collina è lo stesso che ha fatto strangolare il piccolo Giuseppe?»

«Sì. E non a caso lo chiamano u verru, il maiale. È l'uomo di fiducia di Totò, il suo braccio destro. Quel maiale aspetta che la macchina bianca raggiunga il segno di vernice sul guardrail, poi spinge la levetta: sono le 17.56 di sabato 23 maggio 1992. Non puoi neppure immaginartelo, l'inferno che ha provocato l'esplosione di quei cinque quintali di tritolo. L'auto di Giovanni è corrazzata, ma sembra di carta stagnola. Muoiono Giovanni, Francesca e i tre ragazzi della scorta che stanno sull'auto marrone, quella davanti: Antonio, Rocco e Vito. Si salvano invece Giuseppe e i poliziotti dell'auto blu, che stava dietro. La sera stessa il maiale e gli altri picciotti festeggiano l'*attentatuni* a casa di Totò con una bottiglia di champagne.»

«Quindi se Giovanni invece di guidare si fosse seduto dietro, si sarebbe salvato?»

«Probabilmente sì. Vuoi vedere quell'inferno?»

«Sì.»

Salimmo sul gippone, ma papà non mise in moto. Prese lo zaino e tirò fuori un vecchio giornale. In prima pagina c'era una foto enorme, quadrata. Riconobbi i due cartelli verdi che avevamo proprio davanti al gippone: quello con la scritta "Palermo" e la freccia dritta e quello con la scritta "Capaci" e la freccia piegata verso destra. Il resto era tutto diverso, a cominciare dalla strada che non si vedeva più:

neppure un pezzetto d'asfalto, solo zolle di terra, come nei campi quando passa il trattore. E in mezzo a quel campo si vedevano due auto senza vetri, bruciacchiate, mezze accartocciate come le vedi dagli sfasciacarrozze, mezze ricoperte di terra. I guardrail non erano più belli diitti ai lati della strada, ma si attorcigliavano nel campo come serpenti di ferro.

La terra che stava sotto aveva coperto l'asfalto che stava sopra. Come mi aveva detto papà: Palermo è una città a testa in giù. Gli skateboard che dovrebbero servire ai bambini per giocare qui li usano i grandi per sistemare le bombe; i bambini che dovrebbero vivere più dei grandi, qui spariscono come aspirine. Anche i due cartelli verdi e le loro frecce spiegavano che il mio è il mondo dell'incontrario: gli uomini-bestie proseguono dritti fino a Palermo a fare festa, gli uomini *capaci* si fermano qui per sempre. Forse è un pensiero stupido, ma questo mi venne in mente davanti al giornale che papà aveva tirato fuori dallo zaino.

«Quel pomeriggio a Palermo ci fu un gran viavai di ambulanze, auto della polizia e dei carabinieri… Tutte con le sirene che urlavano, vigili nelle strade che fermavano il traffico. Sembrava scoppiata la guerra. Mamma sentì i dolori alla pancia, stavi per nascere, mi chiamarono in negozio, corsi a casa, caricai mamma in auto e volai verso l'ospedale. Zia Nuccia teneva il fazzoletto fuori dal finestrino, io suonavo il clacson per farmi largo nel traffico, ma con tutte quelle sirene non si sentiva neppure. Io suonavo perché stava per nascere qualcuno, loro suonavano perché qualcuno era appena morto. Non sapevo ancora cosa fosse successo. L'ho saputo solo alla sera, dal telegiornale, quando io ero già l'uomo più felice del mondo, perché tutto era andato bene: mamma stava bene, tu anche e io ti avevo preso in braccio per la prima volta. Ero l'uomo più felice del mondo nel giorno più brutto per Palermo, che aveva perso il suo uomo migliore. Quell'uomo era morto anche per me, per difendere i miei negozi, la mia casa, la mia città. Per lottare contro il mostro al posto mio aveva rinunciato ad avere un figlio, cioè alla gioia più grande che si possa provare sulla terra. Nessuno meglio di me quel sabato di maggio poteva capire i suoi sacrifici.»

«Per questo, papà, io mi chiamo Giovanni?»

«Sì. Per questo ti chiami Giovanni.»

Non si vendono più bambole

Papà fece scattare ancora il comando delle portiere. Click. Come una pistola che fa cilecca invece di sparare. È un rumore che da quel giorno non sopporto più.

«Andiamo» disse.

Guardai la collina, poi il cartello con il nome di Giovanni e di tutti quelli che sono morti nell'*attentatuni* del 23 maggio 1992. Feci un lungo respiro verso il mare e risalii in macchina. Papà non tornò verso Palermo, ma guidò fino all'aeroporto di Punta Raisi.

«Poche settimane dopo la morte di Giovanni, il mostro fece fuori anche Paolo.»

«Il suo grande amico?»

«Sì, quello che era in squadra con lui contro la mafia, il compagno con con cui andava più d'accordo e che continuò la battaglia di Giovanni dopo la strage di Capaci. Ma la continuò solo per un paio di mesi. Era una domenica pomeriggio, una domenica di luglio. Paolo arrivò con cinque uomini della scorta in via D'Amelio, dove abitava sua mamma. Era passato per salutarla. Non fece caso alla piccola macchina che era posteggiata davanti al cancello: una 126. Quella macchina era imbottita di tritolo come un panino. Lo stesso esplosivo usato per Giovanni, più o meno alla stessa ora. Sono le 16.55 quando Paolo e la sua scorta s'incamminano nel vialetto del palazzo di via D'Amelio. Fanno solo pochi passi, poi la 126 esplode.»

«Come Rocco.»

«Uguale.»

«Hanno usato anche lì un radiocomando a distanza?»

«Sì. Per Paolo e la sua scorta non c'è nulla da fare. I loro corpi bruciano come pezzi di legno in un camino. Leggi là sopra...»

Eravamo arrivati a Punta Raisi. Papà aveva fermato la macchina nel parcheggio. Lessi la scritta sul tetto: «Aeroporto Giovanni Falcone e Paolo Borsellino.»

«È giusto così» spiegò papà. «Chi arriva a Palermo deve saperlo subito: questa non è la città della mafia, questa è la città di Giovanni e di Paolo.»

Non disse più nulla fino alle porte di Palermo. Ci guardammo soltanto quando ripassammo davanti al cartello di Capaci. Osservai un'altra volta la collina del maiale e cercai di immaginare le ultime cose che aveva visto Giovanni prima di chiudere gli occhi per sempre: il verde dei campi, i tronchi dei vecchi olivi, il mare là in fondo, verso l'orizzonte. Una specie di cartolina della sua Sicilia che amava tanto. Una bella cartolina. Papà dice che Giovanni non ha fatto neppure in tempo ad accorgersi della bomba, perciò ha chiuso gli occhi con un sorriso. Credo.

Mentre ci avvicinavamo alla città, ripensai a tutta la sua vita, dal sasso bianco nel prato della Magione che avevo visto al mattino fino ai serpenti di ferro nella foto del giornale. E mi accorsi di una cosa ancora più strana della colomba bianca che era entrata dalla finestra il giorno che era nato: Giovanni, da piccolo, si era trasferito a Corleone per sfuggire dalle bombe della guerra e da grande è stato ucciso dalle bombe di Corleone. È vero: la mia è proprio una città capovolta.

Nel traffico della città papà ricominciò a raccontare: «La gente riempì la chiesa di San Domenico per i funerali di Giovanni. C'era tutta Palermo davanti a quella chiesa. Probabilmente anche la signora che aveva scritto al giornale per lamentarsi dei rumori. Magari ha pure pianto.»

«Sì, lacrime di coccodrillo...»

«E c'erano anche le grandi autorità dello Stato, arrivate da Roma, che non furono accolte tanto bene dalla gente: urla, fischi, insulti...»

«Perché, papà?»

«Coccodrilli anche loro. Certo, piangevano, ma prima dov'erano quando Giovanni e la sua squadra combattevano contro il mostro? Quando viveva come un topo in gabbia? Giovanni non ha dovuto difendersi solo dalla mafia: ha dovuto lottare anche contro l'invidia, contro l'indifferenza, contro i corvi, contro i sospetti, contro i propri colleghi; ha dovuto abbandonare Palermo perché non lo lasciavano più lavorare e si è ritrovato a Roma, dove non gli lasciavano guidare la macchina da guerra che aveva inventato lui... Giovanni aveva scoperto che tante persone perbene stavano dalla parte del mostro, e alcune di quelle persone erano lì nella chiesa di San Domenico a dire che Giovanni era un eroe. Per questo la gente che voleva bene a Giovanni era arrabbiata. È come se la tua maestra andasse da Simone a dirgli: "Poverino, mi spiace per il tuo braccio rotto" dopo aver aiutato Tonio a spingerlo giù per le scale. Capisci?»

«Ma se tutta quella gente si fosse arrabbiata un po' prima e avesse aiutato Giovanni, forse sarebbe stato più facile sconfiggere il mostro? Non è la stessa gente che usciva dai ristoranti quando entrava Giovanni?»

«Bravo. Hai ragione. Hai perfettamente ragione. Ma vedi, è un po' come se tutta Palermo si fosse svegliata di colpo dopo la morte di Giovanni, è come se l'esplosione sull'autostrada avesse aperto gli occhi a tanta gente che prima dormiva. Durante la cerimonia nella chiesa di San Domenico, una ragazza vestita di nero va al microfono e si rivolge ai mafiosi. Dice tra i singhiozzi: "So che siete anche qui dentro: io vi offro il mio perdono, ma voi inginocchiatevi e cambiate". È una ragazza giovane, ha solo ventidue anni, si chiama Rosaria, ha gli occhi pieni di lacrime. Suo marito Vito era uno dei ragazzi della scorta morti con Giovanni. Poi Rosaria scriverà anche una lettera ai mafiosi e dirà: "Uomini senza onore, avete perduto. Avete commesso l'errore più grande perché, tappando cinque bocche, ne avete aperte cinquanta milioni". Ha ragione, Rosaria. È proprio così. La bomba di Capaci è un gran botto che sveglia un po' tutti, non solo a Palermo. Tutta l'Italia apre gli occhi: non si può vivere così, prigionieri di un mostro del genere. Troppa è la rabbia che suscitano le immagini di quell'autostrada ribaltata come un tappeto. E infatti in pochi mesi verranno arrestati tutti gli autori della strage.»

«Anche il maiale della collina e Totò, il capo?»

«Anche loro. Finiscono in gabbia. E sai chi dà informazioni preziose per farli arrestare? Santino, il papà di Giuseppe. Anche lui ha partecipato all'*attentatuni*: era tra i mafiosi che avevano portato l'esplosivo nel cunicolo di notte. Ma dopo l'attentato viene arrestato e comincia a collaborare con i giudici. Per questo il maiale gli uccide il figlio. L'esplosione di Capaci ha svegliato chi doveva fare la guerra al mostro. I capi più importanti della cupola finiscono dietro le sbarre. È come se li avesse portati dentro Giovanni in persona. E ci resteranno per tutta la vita. Anzi, di più. Totò è stato condannato a dodici ergastoli.»

«Quindi, se rinascerà altre undici volte, quell'animale passerà la vita comunque dietro le sbarre?»

«Esatto. Ma non è questa la vittoria più importante di Giovanni. È un'altra, la stessa che ottenne col maxiprocesso: la speranza. Ora ti mostro. Siamo arrivati all'ultima tappa del nostro viaggio.»

Via Notarbartolo. Parcheggiammo il gippone. Attraversammo la strada. Davanti al palazzo bianco del numero 23 c'erano una piccola casetta di vetro e un grosso albero, che saliva storto oltre il primo piano. Con tante foglie.

«In questo palazzo abitavano Giovanni e Francesca.»

«Questa è la casetta coi vetri antiproiettile dove stavano le guardie quando Giovanni era fuori casa?»

«Proprio così. E questo è l'albero Falcone. L'hanno chiamato così perché dopo la morte di Giovanni, tanti palermitani sono venuti qui a lasciare un biglietto, un fiore, un pensiero per lui. E come vedi, dopo dieci anni, continuano a farlo. Arrivano da tutta Italia e anche dall'estero. Vengono tanti bambini, classi intere con le loro maestre che raccontano la storia di Giovanni, come te l'ho raccontata io. Leggi...»

Il tronco dell'albero era coperto da fogli di quaderno e da biglietti di carta di tutti i colori, scritti con la penna o con i pennarelli. Oltre alle scritte c'erano una bella foto di Giovanni che sorrideva sotto i baffi, con il mantello nero che hanno sulle spalle gli avvocati durante i processi, e alcuni fazzoletti di stoffa legati al tronco da poliziotti e da militari. Uno anche dagli alpini. I fogli di carta erano quasi tutti infilati dentro cartelline di plastica trasparente in modo che quando piove l'inchiostro non si sciolga.

Mi avvicinai all'albero e lessi a voce alta. Foglietto bianco e pennarello nero: «Ti hanno chiuso gli occhi per sempre, ma tu li hai spalancati a noi palermitani!»

Piccola poesia firmata Roberto: «*Tutta le gente di buona volontà prega / vuole cambiar le cose e tanta forza impiega. / Nessuno si arrende alla disonestà / e con coraggio vuole uscire dall'omertà. / La strada è lunga da seguire / ma con tenacia il fine bisogna perseguire.*»

Pamela (IV A): «La persona che adesso non c'è più si era sacrificata per noi, per non esserci più mafia, per farci vivere un futuro più bello.»

Foglietto verde chiaro scritto in verde scuro: «Credete di averlo ucciso? Vi sbagliate, adesso la sua rabbia cova dentro di noi!»

Daniela (III F): «Caro Giovanni, io sono la nipote del tuo autista che si è salvato, sono rimasta sgomenta apprendendo la tua morte e quella dei tuoi agenti e di tua moglie che sono stati molto coraggiosi nel fare il proprio lavoro. Adesso che non ci siete più, ti prometto, in nome di Palermo, che la mafia la sconfiggeremo noi e ti dico: grazie.»

Alfonso da Roma: «Io non mi piegherò MAI!»

Angela: «In vita volevi sconfiggere la mafia. Con la morte ci riuscirai.»

Pietro: «È stata la guccia che ha fatto traboccato il vaso.» Gli errori sono di Pietro, non i miei.

Claudia da Bergamo: «Anche noi che veniamo dal nord piangiamo lacrime come il sud! Non è da dimenticare questo posto!»

Renata da Palermo: «Somigliavi tanto a papà. Grazie per tutto quello che hai fatto.»

Ezio: «Io ho due figli di quindici e diciotto anni e ho un disperato bisogno di credere in un mondo migliore.»

V Ginnasio (Ist. Gonzaga): «Per te che hai dato la vita, vinceremo questa partita.»

Rosy ha disegnato un polipone nero che abbraccia la Sicilia e ha scritto: «Liberiamola dai tentacoli della mafia.»

Foglio giallo scritto in blu e appiccicato con lo scotch marrone: «Si può spezzare un fiore ma non fermare la primavera – Simone.»

Claudia ha scritto in stampatello su un foglio a righe: «Ho sette anni. Come tanti bambini dovremmo pensare solo ai giochi invece sentiamo spesso la parola mafia che fa tanta paura.»

«Guarda questo» indicò papà. «Viene addirittura dall'Australia, dall'altra parte del mondo. E leggi questo di Emilio: "Con la speranza di diventare come te". E anche questo: "Vogliamo sperare ancora. Non sarete mai dimenticati – Un gruppo di giovani da Foggia". Lo vedi? "Speranza", "sperare"... Quasi tutti i verbi dei foglietti che hai letto sono al futuro. Ci hai fatto caso? "Non mi piegherò mai", "Vinceremo questa partita"... Il futuro è il tempo della speranza. Prima di Giovanni non c'era tutta questa fiducia in un futuro migliore per Palermo e per la Sicilia. C'era rassegnazione: la mafia è sempre esistita e sempre esisterà. Magari scompare per un po' ma poi ritorna, come le zanzare. Giovanni invece ha dimostrato che si può sconfiggere il mostro, si può metterlo in gabbia e ha dato l'esempio da seguire. Come ha scritto Emilio: "Con la speranza di diventare come te". Tutti questi verbi al futuro sono la grande vittoria di Giovanni. Questo albero, che è l'albero della speranza e della voglia di combattere, piantato nel cuore di Palermo, visibile fino in Australia, è il simbolo del suo trionfo: è la Coppa dei Campioni di Giovanni... Non possono abbatterlo neppure con mille tonnellate di tritolo. Perché la speranza, una volta accesa, non si spegne più. Non lasciarti ingannare dalla foto di Capaci: la storia che ti ho raccontato è la storia di un eroe vittorioso. Perché Giovanni ha vinto. Anzi, ha stravinto... Ormai, dovresti averlo capito.»

Sì, l'avevo capito: se dopo dieci anni, tanta gente veniva ancora a lasciare fiori e parole sul suo albero, voleva dire che Giovanni aveva fatto davvero qualcosa di grande. Alla fine l'avevano sgambettato, ma era come se continuasse ancora a correre e a dribblare. Anche Maradona ha smesso di giocare, ma tutti continuiamo a ricordare i suoi gol e a cercare di imitarlo. Presi dallo zaino di papà la statuina del Subbuteo e la infilai nella cartellina trasparente della quinta ginnasio dove c'era scritto: "Per te che hai dato la vita, vinceremo questa partita".

Ora capivo perché sul sasso bianco nel prato della Magione qualcuno aveva scritto: "Con gratitudine e riconoscenza".

Tornammo al gippone. Salimmo, ma papà non mise in moto. Afferrò il volante a due mani e guardando davanti a sé, come se stesse leggendo le parole sul parabrezza, disse: «Io sono la prova che Giovanni ha vinto.» Molto serio, tanto che rimasi sorpreso.

«Tu, papà?»

«Io una volta davo da mangiare al mostro.»

Pensavo che scherzasse, ma restò serio e continuò a guardare avanti.

«Cosa vuol dire, papà?»

«Arrivavano sempre in due, l'ultimo venerdì di ogni mese, verso le sette e mezza di sera. Io li aspettavo nel nostro negozio di via Libertà. Quello più alto restava sulla porta. L'altro, sempre con gli occhiali da sole anche se era buio o pioveva, entrava. Se c'erano clienti, mi diceva: "Sono venuto a ritirare quella bambola, è pronta?" E io gli consegnavo il pacco infiocchettato con un nastro giallo. Dentro quel pacco non c'era nessuna bambola, ma tanti soldi.»

«Altrimenti ti facevano esplodere il negozio, vero?»

«Mio padre mi aveva insegnato a pagare la protezione della mafia, perché lo aveva fatto anche lui e prima di lui suo padre e prima ancora il padre di suo padre... Una catena iniziata chissà quando. Un'abitudine. Come ti ho spiegato prima: era una cosa così scontata che alla fine non mi sembrava neanche più un'ingiustizia. Pagavo ogni mese l'uomo con gli occhiali scuri, come ogni mese pagavo la bolletta del telefono. Poi quel gran botto sull'autostrada di Capaci ha aperto gli occhi anche a me. Ho visto alla televisione le immagini delle macchine distrutte, ho letto sul giornale tutta la storia di

Giovanni, ho scoperto che un giorno aveva detto: "Non posso avere un figlio, non si mettono al mondo orfani". Io un figlio l'avevo appena avuto, ed è la gioia più bella del mondo. Sono andato nella chiesa di San Domenico, ho ascoltato le parole di Rosaria e quelle di un'altra donna che aveva perso il marito nell'attentato di Capaci: "Non voglio che i miei figli crescano in questa città, li porterò via". Poi sono venuto qui, all'albero di Falcone, e ho letto tanti foglietti lasciati da papà preoccupati. Ce ne sono ancora oggi, dieci anni dopo. Ne hai appena letto uno. Ricordi? "Io ho due figli di quindici e diciotto anni e ho un disperato bisogno di credere in un mondo migliore." Anch'io avevo un figlio, anch'io avevo bisogno di credere in un mondo migliore, in una città migliore. Per te. Non volevo dire come quella povera donna: "Lascio Palermo perché mio figlio qui non può crescere bene". Era anche colpa mia se quella donna era costretta a scappare, perché ogni mese davo da mangiare al mostro. Lo aiutavo a crescere. Solo allora, per la prima volta, me ne rendevo conto. Dormivo: il gran botto di Capaci mi ha svegliato. Magari con i miei soldi impacchettati col nastro giallo gli uomini d'onore avevano comprato un po' del tritolo finito poi sotto l'asfalto dell'autostrada... Perciò, l'ultimo venerdì di maggio, quando è arrivato in negozio il picciotto con gli occhiali da sole, gli ho detto: "Qui non si vendono più bambole". Proprio così: "Non si vendono più bambole".»

«E lui?»

«Ha aspettato che uscisse l'ultimo cliente, si è tolto gli occhiali e mi ha detto: "È un peccato. Quando i bambini restano senza giocattoli, poi diventano cattivi". Ha fatto scattare un coltello serramanico, ha preso un orso dal cesto dei *peluche*, gli ha aperto la pancia, gli ha tolto un occhio e me lo ha lasciato sul banco. "Pensaci bene, papà" mi ha detto. "Io torno tra un mese e sono sicuro che avrai trovato la bambola che mi serve." "Papà", mi aveva chiamato, capisci? Era una minaccia, come dire: sappiamo che ora hai un figlio, attento, potrebbe succedergli qualcosa, magari potrebbe cadere in un bidone di acido... Avevo paura. Ma non potevo più stare dalla parte del mostro, dopo tutto quello che era successo. Giovanni era morto anche per me e per i miei negozi. Continuare a pagare voleva dire ucciderlo ogni mese. Capisci?

C'era una cosa sola da fare: avvertire la polizia, farmi proteggere dalla legge, non dalla mafia. Dire alla maestra: Tonio mi ruba i soldi... Quando i picciotti tornarono, i poliziotti nascosti in negozio saltarono fuori e li arrestarono. Quello con gli occhiali scuri, in manette, mi disse: "Papà, hai fatto l'errore più grande della tua vita". Passarono dieci giorni...»

Papà strinse forte il volante con tutte e due le mani, come quando va molto veloce in autostrada e la macchina vibra un po'. Lo capivo dai muscoli delle braccia che si muovevano sotto la pelle. Ma eravamo fermi. Guardava un punto fisso del parabrezza davanti a sé.

«Mi era venuto all'improvviso un gran mal di denti. A metà pomeriggio non ne potevo più e corsi dal dentista. Ricordo che ero seduto con la bocca aperta quando squillò il telefono. Non so perché, ma ebbi subito la sensazione che cercassero me. Una brutta sensazione. Mi vennero i brividi, come se il trapano mi avesse appena bucato la lingua. Era la polizia: "Venga subito al negozio in via Libertà". Trovai la strada chiusa dalle macchine dei vigili e tanta gente che guardava. I pompieri cercavano di spegnere l'incendio. Avevano messo una bomba in negozio. Andò tutto a fuoco, tranne uno scimpanzé di peluche che l'esplosione aveva gettato in strada, con le zampe in fiamme. Sarebbe bruciato completamente se un pompiere non gli avesse gettato una coperta sopra. Telefonai a casa. Zia Nuccia mi disse che stavi dormendo e che mamma era scesa un attimo in farmacia. Probabilmente sarebbe passata in negozio a trovarmi. Le piaceva farmi delle sorprese. Non sapeva che ero andato dal dentista. Cominciai a cercarla tra la gente che osservava il fuoco sul marciapiede... non la trovavo... chiamavo... Lucia! Lucia!... non rispondeva... allora pensai che potesse essere rimasta intrappolata in negozio... vedevo tutte quelle fiamme... i pompieri mi tenevano... io gridavo... volevo correre dentro... Lucia! Lucia!... Poi Maurino, il barista, urlò il mio nome... Mamma era seduta nel bar, bianca come la neve... piangeva... pensava che io...»

Papà non riuscì a dire altro. Strinse ancora più forte il volante, guardando sempre fisso davanti a sé. Anch'io mi ero immobilizzato con lo sguardo sul parabrezza. Restammo così per almeno cinque minuti: fermi, senza dirci nulla. Come se un mago ci avesse ipnotizzati tutti e due.

Poi papà si passò una mano sugli occhi: «Torniamo a casa.» E mise in moto il gippone.

Zia Nuccia aveva preparato la pizza. Dopo cena, restai sul divano con Bum a guardarmi la cassetta di Stanlio e Ollio, la mia preferita, quella in cui i due pasticcioni cercano di costruire una casa e il ciccione ingoia una manciata di chiodi... Alla fine, prima di andare a letto, papà tirò fuori dallo zaino le lettere ingiallite del padre di Giovanni, quelle che avevo letto la mattina.

«Domani pomeriggio alla tre devi riportarle a chi me le ha prestate» mi disse.

«Cioè?»

«Alla signora Maria, la sorella di Giovanni. Abita qui vicino, in via Principe di Paternò.»

«E cosa devo dirle?»

«Quello che vuoi. Lei sa già tutto, ti aspetta. Domattina vai con zia Nuccia a comprare una bella pianta nel negozio di Valentina. Al pomeriggio prendi la pianta, le lettere, le porti alla signora Maria e la ringrazi. È stata lei a raccontarmi tutta la storia di Giovanni. Se però vuoi andare da un altro fioraio, fai pure...»

Qui fece una smorfia da stupido, che mi costrinse a tirargli un pugno nel pancione. Lo incassò benissimo, come sempre. Poi mi abbracciò e mi sollevò come una coppa dei Campioni.

«*Biddicchiu mio*» disse, mentre mamma rideva.

Spenta la luce, puntai la torcia sulla faccia di Bum e lo ringraziai, perché, anche se papà non lo aveva capito, era chiaro come erano andate le cose quel giorno. Mamma era proprio in negozio al momento dell'esplosione della bomba, ed era rimasta intrappolata tra le fiamme. Avevo perso i sensi. Bum, intrepido come l'Uomo Ragno, si era buttato nel fuoco, anche a costo di bruciarsi le zampe, e l'aveva portata in salvo fino al bar di Maurino. Poi, stremato, era crollato per la strada e i pompieri l'avevano soccorso.

«Finalmente ho capito chi sei, amico mio: un eroe.»

Ma Bum sorrise come sempre, senza dar troppo peso alla sua impresa. Gli eroi fanno quasi sempre così, davanti ai complimenti.

A casa della signora Maria

Andai dal fioraio da solo. Valentina mi aiutò a scegliere una pianta con dei bei fiori rossi. Il sorriso di Valentina sembra fatto apposta per stare in mezzo alle rose e alle margherite. Bello come loro.

Con la pianta in mano, camminai fino a via Principe di Paternò, che non è molto lontano da casa mia. Mi bloccai davanti al citofono. Sapevo quale nome schiacciare, ma non mi venivano le parole giuste per presentarmi.

"Sono Giovanni." Sì, e poi? La signora Maria poteva anche rispondere: "Giovanni chi?" Non mi conosceva mica. Ci pensai un po', poi mi decisi a suonare il campanello, anche perché cominciavo a sentirmi stupido, fermo così, davanti al citofono con una pianta in mano, mentre la gente passava e mi guardava strano.

«Chi è?»

«Giovanni. Sono nato il 23 maggio 1992» risposi.

Dal citofono uscì una specie di risolino, poi: «Sesto piano, scala destra.»

La sorella di Giovanni era una bella signora, elegante, coi capelli biondi. Apprezzò molto il mio regalo.

«Come vedi, a me piacciono molto i fiori e le piante» disse.

Infatti nel salotto c'erano molti vasi. E molti quadri appesi alle pareti. Appoggiata su un comò, riconobbi la foto di Giovanni che avevo visto sull'albero di via Notarbartolo: quella in cui sorride sotto i baffi, con il mantello nero da avvocato. Mi tornò in mente Zorro e glielo chiesi subito: «È vero che a Giovanni da piccolo piaceva Zorro?»

«Nella nostra vecchia casa alla Magione avevamo le pareti ricoperte di stoffa, come si usava un tempo. Giovanni, con la sua spada di plastica, ci lasciò sopra il segno di Zorro. Poche volte ho visto nostro padre così arrabbiato...»

«Ed è vero che quando Giovanni nacque entrò una colomba bianca dalla finestra?»

«Io non me lo ricordo, ero molto piccola, avevo solo tre anni. Ma nostra mamma ce lo raccontava spesso. Quindi immagino che sia vero. Siediti, che arrivo subito...»

Mi sedetti sul divano giallo. Studiai i quadri, soprattutto le foto più vecchie in bianco e nero, per vedere se riconoscevo qualche eroe di famiglia, quelli che erano serviti da esempio per il piccolo Giovanni. La signora tornò con una fetta di cassata in un piattino: «Vuoi, Giovanni?»

Essendo figlio di mio padre, non rifiutai di certo: «Molto volentieri...» E poi: «Papà mi ha raccontato che nella vostra famiglia avete avuto dei veri eroi di guerra.»

«Sì e nostra mamma ce ne parlava spesso. Pensa, ogni volta che vedeva alla televisione un bersagliere le veniva da piangere, perché le ricordava suo fratello Salvatore, bersagliere, morto in guerra giovanissimo. Mamma aveva un grande senso del dovere, del sacrificio, e un grande senso della patria. E ci ha trasmesso questi sentimenti. Era un po' all'americana... Lo vedi quanto ci tengono alla loro bandiera? La mostrano dappertutto e quanto sono orgogliosi di sentirsi americani. Noi italiani non siamo così. Pensiamo molto di più a noi stessi che al nostro Paese.»

«Per questo Giovanni aveva tanti amici in America e aveva la tuta da ginnastica dell'FBI?»

«Qualche anno dopo la morte di Giovanni, mi telefonò il capo della FBI, la polizia americana, e mi invitò da loro. Sai perché? Aveva fatto costruire una statua per Giovanni da mettere nell'Accademia dove studiano i giovani poliziotti e voleva che ci fossi anch'io per l'inaugurazione. Allora presi l'aereo e volai in America. Attorno alla statua avevano messo delle panchine di legno. Domandai il perché. E il capo dell'FBI mi rispose: "Perché così i ragazzi che passano e si siedono possono guardare Giovanni e pensare a lui. Per noi Giovanni è un grande esempio da seguire, per le sue grandi qualità di investigatore, per il suo coraggio e per il suo sacrificio". Anche Giovanni era molto americano, per il suo amor di patria e per il senso del dovere. Non a caso, portava sempre nel portafoglio una frase di un presidente degli Stati Uniti sulla necessità di fare sempre il proprio dovere, a qualsiasi costo.»

Gli americani, che di supereroi se ne intendono,

come si vede al cinema, hanno fatto una statua per un uomo che si chiamava come me e che è nato nella mia città! Era una cosa che mi riempiva di orgoglio. E dimostrava una volta di più che papà aveva ragione: Giovanni ha vinto, anzi ha stravinto... Glielo dissi, alla signora Maria.

«Ma non pensare che Giovanni fosse un supereroe. Giovanni era un uomo normalissimo.»

«Però da piccolo non piangeva mai...»

«È vero. Mamma gli ripeteva spesso questa frase, che gli è rimasta in testa per tutta la vita: "Gli uomini non piangono". Anche da grande l'ha ripetuta spesso. Ma Giovanni era un bambino come tutti gli altri. Per esempio, a casa studiava pochissimo... Prendeva bei voti perché stava attento in classe e capiva al volo, ma fuori dalla scuola preferiva andarsene al mare o fare sport piuttosto che studiare. Era molto bravo in ginnastica: anelli, parallele... Faceva le gare di canottaggio in coppia con un amico. Non gli piaceva perdere. Se andava male una regata, cominciava a pensarci su fino a quando non capiva il motivo della sconfitta e scopriva come fare per migliorarsi. Gli piacevano tutti gli sport. Adorava la musica: quella di Mozart e Verdi, soprattutto. Una volta mi telefonò da Roma e mi disse: "Indovina dove sono? In un supermercato!" Non l'avevo mai sentito così felice. Per lui la felicità era poter andare a far la spesa al supermercato, riuscire finalmente a vivere una vita normale, come tutti gli altri, dopo gli anni passati a Palermo, blindato in casa e in ufficio. Giovanni non era un supereroe, era uomo normale che cercava soltanto di vivere da uomo normale.»

«Io credo che gli sarebbe piaciuto molto avere un figlio.»

«Sì. E io sono sicura che sarebbe stato un ottimo padre, per quanto era dolce, buono, spiritoso. I bambini se ne sono accorti. Guarda…»

La signora Maria si alzò, prese un libretto da uno scaffale e tornò sul divano. Cercò una pagina particolare e me la passò da leggere. Posai il piattino della cassata: buonissima. Sulla pagina c'era stampato un foglietto a quadretti, scritto a mano in stampatello. La scritta diceva: "Tu non hai voluto figli. Io ti avrei voluto come papà. 12-8-92. Luisa (Napoli)".

Provai a restituirle il libro, ma la signora Maria mi disse: «Tienilo. È tuo. È il mio regalo per il tuo compleanno.»

Ringraziai. Guardai la copertina: s'intitolava *L'albero di Falcone* e c'era disegnato l'albero di via Notarbartolo.

«In questo libro abbiamo raccolto tanti pensieri che la gente ha lasciato sull'albero di Giovanni. Abbiamo anche costituito una fondazione, la Fondazione Giovanni e Francesca Falcone, una specie di associazione, che ha sede qui vicino, dove teniamo tutto il materiale e dove organizziamo le attività per ricordare la figura di Giovanni. Mi scrivono tante scuole, da tutta Italia. Io vado volentieri nelle classi a raccontare la storia di Giovanni, come ha fatto tuo papà con te. Poi le classi, magari, fanno dei lavori e me li spediscono: temi sulla mafia, disegni sulla vita di Giovanni... Una scuola di Agrigento mi ha mandato la videocassetta di una piccola commedia che hanno scritto e rappresentato. La storia è semplice. Fuori da una scuola viene rubato un motorino. Il preside indaga, ma tutti dicono di non aver visto nulla. Sai cosa significa omertà?»

Feci segno di sì con la testa.

«Tutti tranne un bambino, che dice: "Io ho visto e so chi è stato". Il preside gli chiede: "Bravo.

Come ti chiami?" E lui risponde: "Giovanni Falcone".»

Qui mi sentii un po' in imbarazzo. Lo confesso. Avevo la netta sensazione che papà avesse raccontato alla signora Maria la storia di Tonio e delle figurine. E anche le parole che mi disse dopo, le ascoltai come una specie di predica personalizzata...

«Da dieci anni ormai io viaggio e parlo per tener viva la speranza che ha acceso mio fratello: quella di un futuro senza mafia, dove la gente vive senza paura e dove vale solo la legge dello Stato. La legge giusta. Il mostro è ancora vivo, ma Giovanni ci ha insegnato che si può sconfiggerlo e ci ha spiegato come si fa. Non dobbiamo dimenticarlo. Io vado nelle scuole perché si può combattere fin da piccoli. Anzi, le battaglie più importanti si vincono proprio alla tua età. E i primi a saperlo sono i mafiosi. L'hai vista la lapide che è stata messa in piazza della Magione? Abbiamo dovuto aggiustarla più di una volta perché dei vandali l'hanno presa a martellate. Alla fine abbiamo deciso di scolpire le parole nella pietra, così non potevano più staccare le lettere... Una volta hanno sorpreso gli autori di quelle martellate alla lapide di Giovanni:

ragazzini della tua età, in cambio di qualche soldo offerto da qualche mafioso. Un giorno in una classe di Palermo abbiamo chiesto: "Sapete cos'è un boss?" Cioè un capo della mafia. Un bambino si è alzato e ha risposto: "Il boss è buono, perché guadagna e fa guadagnare". Così ha risposto. Lo vedi? Si può entrare nella squadra del mostro già da piccoli, se nessuno ti spiega chi è, se nessuno ti apre gli occhi. Anche tu, nella tua classe, puoi già combattere la battaglia di Giovanni e farlo vincere. Se non accetti le ingiustizie, se difendi chi le subisce. Giusto?»

Alzai gli occhi: «Giusto.»

«Non dimenticarti che ti chiami Giovanni. Molti papà mi hanno scritto per dirmi che hanno chiamato Giovanni i loro figli, in ricordo di mio fratello. Un signore addirittura, un nobile toscano, ha voluto chiamare suo figlio Falcone.»

«Falcone?»

«Sì, lo ha battezzato col cognome invece che col nome. I nobili, quelli di sangue blu, sono gente un po' strana...»

Meno male che mio papà ha il sangue rosso...

La signora Maria mi ringraziò ancora per i fiori,

io per la buonissima cassata e per il libro. Prima di accompagnarmi alla porta, mi mostrò un tavolo della sala.

«Te l'ha raccontato papà di quando Giovanni tornava a casa con le fotocopie degli assegni sequestrati nelle banche dei mafiosi?»

«Sì» risposi. «Li studiava per capire da dove provenissero i soldi.»

«Li distribuiva proprio su questo tavolo, li spostava, li girava e li rigirava. I miei figli pensavano che Giovanni stesse giocando e si avvicinavano per curiosare. Io dovevo spedirli nella loro stanza: "Lasciate stare lo zio, che sta lavorando!"»

Giovanni aveva svuotato le tasche del mostro, io dovevo svuotare quelle di Tonio. Forse era questo che voleva dirmi la signora Maria. Che era anche una mamma.

Le strinsi la mano.

«Vieni a trovarmi quando vuoi» mi disse.

«Verrò» risposi. «O ci vediamo all'albero Falcone.»

Era un saluto da alleati, il nostro.

L'albero delle figurine

Valentina sostiene che l'occhio nero, in fondo, mi sta anche bene.

"Sembri un panda" mi ha detto l'altro giorno mentre tornavamo a casa da scuola. "E il panda è il mio animale preferito."

Io credo che abbia voluto farmi capire che un po' le piaccio. Papà invece sostiene che abbia voluto farmi capire che mi considera un animale. Ma lo dice per prendermi in giro. E naturalmente ha dovuto incassare un mio destro alla cintura...

L'occhio nero me lo ha fatto un destro di Tonio, che ho incassato malissimo. Sono scoppiato a piangere davanti a tutti, in corridoio. Una figuraccia. Lo so che gli uomini non piangono mai, ma un pugno nell'occhio fa un male cane. E poi ve l'ho già spiegato: io in famiglia non ho neppure un eroe, solo uno zio gelataio, uno geometra e uno disoccupato.

Comunque, nonostante questo, il coraggio per dire a Tonio che i soldi d'ora in poi me li sarei tenuti da qualche parte l'ho trovato.

«Qui non si vendono più bambole» gli ho detto. Proprio così. Non so come mai mi è uscita questa frase, forse per il terrore. Naturalmente Tonio non ha capito nulla. Allora gli ho spiegato che le mance di papà mi servivano per le figurine. Mi ha guardato i piedi. Tatticamente, mi ero messo dei mocassini senza stringhe. Gli ho detto che se tirava fuori il coltellino andavo dritto dal preside. Non ha tirato fuori il coltellino, ma quel gran destro che mi ha colorato l'occhio.

È accorsa subito la maestra. Tonio le ha spiegato che ero caduto e avevo sbattuto la testa contro il termosifone. Nessuno dei miei compagni, naturalmente, anche se erano lì a un metro, aveva visto la scena. *Nun lu sacciu...* Nessuno, eccetto Simone, che ha spiegato alla maestra: «Non è stato il termosifone, è stato Tonio a tirargli un pugno in faccia.» Siamo finiti tutti dal preside: io, Tonio, Simone, la maestra.

Simone ha raccontato la storia dei soldi rubati e anche quella del braccio rotto. Io ho confermato tutto. Il preside ha sospeso Tonio dalla scuola e il giorno dopo ha ricevuto la visita dei fratelli di Tonio. Una visita violenta, tanto che il preside ha dovuto poi prendere appuntamento dal dentista. Ma li ha denunciati tutti alla polizia e ora so che i fratelli di Tonio sono al Malaspina, il carcere minorile di Palermo. Tonio dicono che sia in una specie di riformatorio.

Sono diventato grande amico di Simone. Gli ho firmato subito il gesso con un pennarello blu e gli ho raccontato la mia giornata con papà, che mi ha fatto cambiare idea su Tonio. Simone conosceva già la storia di Giovanni. Simone sa sempre tutto... Ma adesso non mi è più antipatico, nonostante i suoi voti altissimi. Adesso siamo amici veri. Andiamo a Mondello insieme in bicicletta, giochiamo insieme a calcio e a tennis, la domenica mio padre ci porta alla Favorita a vedere il Palermo. Abbiamo fatto anche un nostro giuramento.

L'idea è stata mia e gli è piaciuta subito. Lui non sapeva del rito del santino bruciato. Finalmente una cosa che io sapevo e Simone no...

«Possano bruciare le nostre carni come questo calciatore» ho detto io molto solennemente «se un giorno tradiremo la giustizia e ci piegheremo davanti al carciofo.» Poi ho dato fuoco con un fiammifero a un orlo della figurina Panini e abbiamo cominciato a passarcela tra le mani: «Tieni...» «Tocca a te...» «È tua...» «No, è tua...» «Brucia...» «Ahiaaa!» L'abbiamo fatta cadere a terra dopo cinque secondi e siamo scoppiati a ridere che non smettevamo più... Evidentemente i calciatori bruciano molto di più dei santi.

Simone dice che da grande vuole studiare la legge per diventare un giudice come Giovanni e magari andare in America per lavorare con l'FBI.

Io ho messo l'album Panini in una cartella di plastica trasparente e l'ho legato all'albero Falcone. Quando trovo in una bustina una figurina che mi manca, vado in via Notarbartolo e l'attacco sull'album. Se un giorno riuscirò a finirlo, sarà tutto merito di Giovanni, che ha aperto gli occhi anche a me. Lo considero come un mio vecchio parente, immagino che sia seduto da qualche parte a guardarmi e cerco di essere all'altezza della sua lezione, anche se io piango davanti ai pugni e giovedì scorso, mentre mi facevano l'esame del sangue, sono svenuto. La sera papà mi ha detto: «Non te l'ho mai raccontato. Il giorno che sei nato, è entrato dalla finestra un coniglio bianco...» Ho rincorso papà per tutta la casa, lui è inciampato in un vaso e non vi dico gli urli di zia Nuccia... Sarò anche un coniglio, ma intanto ho liberato la mia classe dai tentacoli del polipone. E so che Giovanni è fiero di me.

Zia Nuccia ogni tanto mi accompagna in via Notarbartolo. Mentre io attacco le figurine, lei parla col ficus. Spesso mi porto dietro Bum, siamo diventati inseparabili. Papà, per prendermi in giro, dice che stiamo bene insieme: un panda e uno scimpanzé, uno con l'occhio nero, l'altro coi piedi neri... In questi casi io e Bum ci scambiamo una strizzata d'occhio. Ora siamo noi che condividiamo un segreto ed è papà che non conosce la vera storia del mio peluche.

Un giorno gliela racconterò. Quando compirà cent'anni, credo.

Perché mi chiamo Giovanni
Undici domande a Luigi Garlando

Com'è nato *Per questo mi chiamo Giovanni*?

È nato in una libreria di Bologna, da una chiacchierata con Grazia Gotti, amica dall'entusiasmo vulcanico ed esperta di letteratura per ragazzi. Perché non trascurare maghi e draghi e, per una volta, raccontare ai ragazzi la magia di una storia vera, vicina a noi, una lezione di coraggio che può insegnare ancora tanto? Mi è sembrata una buona idea. Parlandone siamo arrivati al nome di Giovanni Falcone.

Sapevi già tutto della vita di Falcone o ti sei dovuto documentare per raccontarla con la voce del papà di Giovanni?

La documentazione mi ha impegnato per alcuni mesi ed è avvenuta in tre fasi. La prima è stata a base di libri. Ho letto la biografia di Falcone scritta dal giornalista Giovanni La Licata, che ho seguito per ricostruire la storia del magistrato e ho consultato diversi volumi per approfondire la conoscenza di Cosa Nostra: origini, storia, struttura, ecc. Ho ripercorso quindi le vicende professionali di Falcone attraverso i giornali d'epoca, consultati nell'archivio del *Corriere della Sera*. Infine sono stato a Palermo per vedere di persona i luoghi che poi ho raccontato nel libro e per intervistare la professoressa Maria Falcone, che mi ha aiutato a ricostruire l'infanzia del fratello Giovanni con ricordi e aneddoti. La collaborazione della signora Falcone è stata preziosissima: ha aiutato questo libro a nascere e poi lo ha fatto crescere coinvolgendolo in molte attività della Fondazione Giovanni e Francesca Falcone, che presiede. Le sono grato.

Gli eroi di Giovanni (Falcone) da bambino erano Zorro e i tre moschettieri. E i tuoi quando eri piccolo?

I miei erano Sandokan e i suoi pirati, ma soprattutto Roberto Boninsegna, centravanti dell'Inter, la mia squadra del cuore. Ero un bambino ammalato di pallone. Boninsegna, detto Bonimba, era un attaccante forte e coraggioso, che non aveva paura a tuffarsi tra i piedi dei difensori per segnare un gol di testa. Il giorno che riuscii a strappargli l'autografo nel ritiro di San Pellegrino e lasciò scritto "Bonimba" sul mio pezzo di carta mi sembrò di aver conosciuto Sandokan.

Parliamo di Tonio. La sua prepotenza in classe diventa pericolosa se nessuno dei suoi compagni la denuncia alla maestra. Ma non è facile tradire gli amici e i compagni di classe. Tu hai sempre denunciato tutto?

Per mia fortuna, non ho mai avuto esperienze dirette di bullismo. Di sicuro non avevo il coraggio del piccolo Giovanni Falcone. Ma la paura, soprattutto da piccoli, non è un sentimento di cui vergognarsi. È un diritto, anzi, a volte una ricchezza, perché proprio grazie alla paura e alla sensibilità si riescono ad apprezzare emozioni che, a essere troppo sicuri di sé, sfuggono. Se di fronte a un episodio di illegalità un ragazzo non trova il coraggio per opporsi o denunciarlo, non deve sentirsi un fallito. La questione non è avere o non avere coraggio, ma sapere cosa bisognerebbe fare. Convincersi, ad esempio, che chiedere aiuto agli adulti (a un professore, un genitore, all'allenatore…) per risolvere un caso di bullismo non è fare la spia, non è un atto vile, ma una forma di coraggio per aiutare magari un amico in difficoltà. Se poi, al momento, il coraggio di fare ciò che si dovrebbe manca, non è un dramma. Il coraggio verrà, come è venuto al piccolo Giovanni dopo una giornata trascorsa con papà.

Nel tuo mestiere di giornalista a volte fai delle indagini, un po' come accadeva a Giovanni Falcone da magistrato. Ma lui lo faceva per punire il crimine, tu per informare. È così?

Sì, ma eviterei il paragone… Io mi occupo di una realtà molto meno impegnativa, come quella dello sport. Qualcuno ha scritto che i giornalisti sportivi lavorano nel reparto giocattoli della vita. In fondo è vero, ma ciò non significa che lo sport sia una cosa futile. Lo sport è la miglior palestra di legalità per i giovani. Chi cresce praticando sport, abituato a rispettare regole e avversari, a sopportare le fatiche di un allenamento, sarà più forte davanti alla tentazione di imboccare le scorciatoie dell'illegalità. Per questo, Giovanni Falcone aveva grande considerazione per lo sport: lo ha sempre praticato (canottaggio) e seguito.

Hai mai avuto paura di qualcosa sul lavoro?

Paura no, ma capita anche a un giornalista sportivo di dover prendere decisioni che costano qualcosa. Evitare critiche o polemiche con un grande club o con giocatori importanti ti semplifica la vita. Al contrario, puoi incappare in forme di ritorsioni: interviste negate e cose simili. La bussola, in questi casi, è la stessa che usava Falcone: fare il proprio dovere con coscienza, a qualsiasi prezzo. Io l'ho sempre seguita, anche a costo di non trovare posto sull'aereo della squadra che avevo criticato…

Giovanni ha vinto, è stato un eroe vittorioso perché insieme a Paolo (Borsellino) ha acceso la speranza, ha fatto aprire gli occhi a tutte le persone che erano abituate a convivere con la mafia e a non riconoscerla quasi più. Secondo te, se potessero vedere la Sicilia e l'Italia di oggi, vedrebbero qualcosa di diverso, Giovanni e Paolo?

Sì, e sarebbero entusiasti constatando una cosa, soprattutto: i ragazzi hanno raccolto con entusiasmo la loro lezione. Falcone ha lasciato scritto: "Gli uomini passano, le idee restano e continuano a camminare sulle gambe di altri uomini". Le gambe dei giovani arrivano più lontano, perché hanno più futuro. Lo diceva Falcone: "Saranno le generazioni future a sconfiggere definitivamente la mafia. La nostra è rassegnata a conviverci". Non avrei mai immaginato che il mio libro sarebbe stato amato così tanto e che l'avventura di Giovanni Falcone avrebbe suscitato tanta ammirazione tra i ragazzi. Un bambino di quinta elementare mi ha scritto: "Ho deciso. Io da grande farò il magistrato come Giovanni Falcone". Ho ricevuto tantissime lettere del genere in questi anni e tantissimi inviti nelle scuole che hanno adottato il libro. *Per questo mi chiamo Giovanni* è diventato quasi un libro di testo. In quasi tutte le classi in cui sono stato invitato ho trovato appeso al muro un albero Falcone, disegnato dai ragazzi, con i pensieri dei ragazzi appesi ai rami. Tutti pensieri al futuro, che è il tempo della speranza: sconfiggeremo noi la mafia, porteremo avanti la tua battaglia… Di questo sarebbero felici e orgogliosi oggi Giovanni Falcone e Paolo Borsellino: i ragazzi hanno piantato in tutta Italia alberi di carta, uno splendido bosco di futuro e di fatalità.

Tu scrivi anche libri per adulti e sei autore di *Gol!*, una serie di racconti di calcio. Ma come si fa ad alternare scritture tanto diverse?

Vocazione suona forse troppo retorico... Diciamo che mi è sempre piaciuto stare con i ragazzi e comunicare con loro. Mi sono laureato in Lettere e, prima di dedicarmi al giornalismo sportivo, ho insegnato per qualche anno. Mi piaceva stare in classe. I libri che scrivo mi offrono l'occasione di tornarci. Per questa attitudine mi è venuto naturale trovare una scrittura per comunicare con i giovani lettori, un linguaggio semplice per affrontare anche temi complessi come la mafia o la politica. Nei romanzi per adulti ovviamente la scrittura è più immediata.

***Per questo mi chiamo Giovanni* ha ispirato una graphic novel omonima e un film, *Io ricordo*. Com'è cambiata la storia nel passaggio da una forma all'altra?**

In entrambi i casi è stata rispettata fedelmente la trama del mio libro, ma la storia è stata arricchita dal diverso strumento narrativo. Claudio Stassi, apprezzato disegnatore palermitano, padrone del contesto, stimolato emotivamente dalla vicenda, fa valere la forza delle immagini. Una pagina bianca, che significa il bagliore dell'esplosione, ma anche un vuoto morale e di speranza, può rendere l'attentato di Capaci anche meglio di una pagina scritta. Il film-documentario *Io ricordo*, firmato dal regista Ruggero Gabbai, prodotto da Indiana Production, affianca la fiction, che ricalca il mio libro, a una serie di testimonianze di parenti di vittime di Cosa Nostra, alcune molto dure. Un documento completo, che informa ed emoziona, destinato alle scuole. Un prezioso strumento didattico.

Sono passati vent'anni dalla morte di Giovanni Falcone. Come possiamo ricordarlo noi, nella nostra vita di tutti i giorni?

Maria Falcone mi ha raccontato che nei mesi successivi alla strage di Capaci ricevette molte lettere di neo-genitori che avevano deciso di chiamare Giovanni il loro figlio in onore del magistrato assassinato. Un nobile eccentrico scelse invece il cognome e battezzò il suo bambino con il nome di Falcone. Poverino… Ma dal 23 maggio 1992 tutti ci chiamiamo Giovanni e tutti siamo chiamati a prestare le nostre gambe per portare avanti le idee di Falcone e la sua missione di legalità. Io l'ho fatto con le pagine di questo libro.

Ultima domanda: perché ti chiami Luigi?

Era il nome del nonno di mia mamma. Luigi è stato in ballottaggio fino all'ultimo con Walter. Quando l'ho scoperto da piccolo ci sono rimasto male. Mi sarebbe piaciuto avere una W nel nome. A quei tempi scrivevo sui muri *W Inter!*

Indice